Breve historia de Gengis Kan

Breve historia de Gengis Kan

Borja Pelegero Alcaide

nowtilus

Colección: Breve historia
www.brevehistoria.com

Título: Breve historia de Gengis Kan
Autor: © Borja Pelegero Alcaide

Copyright de la presente edición: © 2010 Ediciones Nowtilus, S.L.
Doña Juana I de Castilla 44, 3º C, 28027 Madrid
www.nowtilus.com

Diseño y realización de cubiertas: Nicandwill
Diseño del interior de la colección: JLTV

ISBN-13: 978-84-9763-777-0
Fecha de edición: febrero 2010

Printed in Spain
Imprime: Imprenta Fareso
Depósito legal: M. 709-2010

Para Nuria y Josep
y María Luisa y Miguel.

Índice

Introducción

La realización de cualquier obra de carácter histórico implica una selección de los asuntos que se van a tratar para adecuarse a la extensión de la misma, y este condicionante se hace sentir aún más en un volumen de las características presentes. Dentro de esos límites, hemos preferido dedicar una parte del espacio a nuestra disposición a tratar aspectos relativos a la vida y la historia de los nómadas en general. A cambio, se ha renunciado a examinar algunos rasgos culturales de los mongoles, sin duda alguna muy interesantes, como la religión o la administración del Imperio, y hemos dedicado un espacio puramente testimonial al apartado de la historia de los mongoles tras la muerte de Gengis Kan. Creemos firmemente que la posibilidad de contextualizar a los mongoles, en relación a sus predecesores nómadas, compensa con creces este sacrificio y, en cualquier caso, el lector interesado en estos temas encontrará la ayuda que necesite en la bibliografía comentada situada al final del libro.

La transcripción de nombres de persona y de lugar de lenguas tan diferentes a la nuestra es una auténtica pesadilla, y teniendo en cuenta el carácter de divulgación de la obra, hemos optado por transcripciones fonéticas simplificadas, intentando reproducir el sonido original con nuestro alfabeto, excepto en los casos en los que ya existía una forma castellana avalada por el uso. Por ejemplo, la transcripción más correcta del nombre del principal protagonista de este libro sería *Chinguis Jan*, pero hemos empleado la forma más popular *Gengis Kan*, si bien en el resto de casos se ha utilizado la forma *jan* y no la verdaderamente incorrecta *kan*. Asimismo, hemos renunciado a castellanizar los nombres de la miríada de pueblos y tribus que vagan por las páginas de la obra, excepto, nuevamente, en los pocos casos en los que existía una forma castellana. Con respecto a la transcripción del chino, se ha utilizado el sistema pinyin oficial en la República Popular de China desde 1958.

1

La vida en el mar de hierba: antropología del pastoreo nómada

Para las sociedades sedentarias del continente euroasiático, los nómadas de la estepa y su peculiar estilo de vida han representado a menudo el arquetipo de la diferencia, el opuesto absoluto a la concepción de la vida de los agricultores y de los habitantes de las ciudades. La radical diferencia existente entre las sociedades nómadas y las sedentarias, junto con las frecuentes agresiones de los pastores nómadas, motivaron la aparición entre los autores sedentarios de una visión profundamente negativa de sus vecinos de la estepa. Esta alcanzó, quizás, su máxima expresión en el caso de los diferentes imperios chinos, para los cuales los pastores nómadas de la estepa representaron el arquetipo del «bárbaro», como símbolo de todo lo opuesto a su modo de vida «civilizado».

Desde finales de la Edad Moderna, una nueva visión ha venido a sumarse y en la práctica a sustituir a la anterior, de mano de los fascinados relatos de los diferentes viajeros que se internaron en la estepa. Esta nueva imagen, que podríamos calificar de romántica, presenta a los nómadas como espíritus libres, émanci-

Niños mongoles ejercitándose en la monta del caballo.
La información recogida por los antropólogos entre las
menguantes poblaciones de pastores nómadas de la estepa
ha sido de vital importancia para comprender su peculiar
estilo de vida y el de sus predecesores medievales y antiguos.

pados de las trabas impuestas por la civilización y
viviendo una vida sin ataduras. Aunque esta segunda
visión abandona muchos de los prejuicios de la anterior,
lo cierto es que acaba encasillando a los nómadas en el
cliché del «buen salvaje», que en cierta manera es tan
falso como el del «bárbaro».

Afortunadamente, más de un siglo de trabajo de
campo antropológico nos ha proporcionado la información y los modelos teóricos para interpretar a los nómadas, de hoy y de ayer, en sus diversos contextos ecoló-
gicos, económicos, políticos y sociales. El presente
capítulo pretende mostrar al lector una visión general
del nomadismo pastoral que, debido al amplio periodo
temporal y al enorme ámbito geográfico que abarca y a
su propio carácter introductorio, simplifica grosera-
mente un tema que merecería ocupar, como mínimo,
toda la extensión de la presente obra. Utilizaremos en
este capítulo mayoritariamente el tiempo verbal presente,
ya que el origen de la información que contiene procede
en su mayor parte de observaciones antropológicas
contemporáneas. Pero como estas se han contrastado con

datos procedentes de las fuentes históricas y la arqueología, son válidas para los pastores nómadas del mundo antiguo, medieval, moderno y contemporáneo.

LOS ORÍGENES DEL NOMADISMO PASTORAL

Hasta hace unas décadas, se consideraba al nomadismo pastoral como una fase intermedia del desarrollo de la humanidad, que habría servido de puente entre el primitivo estadio de caza y recolección y el de la agricultura sedentaria, o lo que es lo mismo, que los primeros grupos humanos habrían sido cazadores-recolectores, después habrían aparecido los pastores nómadas y por último algunos de estos se habrían sedentarizado adoptando la agricultura como modo de vida. Actualmente, esta visión está completamente descartada ya que, gracias a la arqueología, conocemos la fecha de aparición de los diferentes modelos de economía y, efectivamente, los primeros grupos humanos, incluyendo las diversas especies de homínidos que precedieron al hombre moderno, se dedicaron exclusivamente a la caza y recolección durante varios centenares de milenios. Pero el siguiente sistema de subsistencia que se adoptó no fue el nomadismo pastoral, sino la agricultura, gracias a la revolución neolítica, que se produjo entre el IX y el III milenio a. C., según la zona del planeta. Finalmente, y en un momento muy posterior a la adopción de la agricultura, hizo su aparición el estilo de vida basado en el nomadismo pastoral.

Alrededor del siglo X a. C. se documenta arqueológicamente la aparición en las estepas europeas y kazajas de una serie de culturas que presentaban restos inequívocos de monta del caballo y nomadismo, aunque el primer pueblo de pastores nómadas no es mencionado en las fuentes históricas de los estados sedentarios del Oriente Próximo hasta el año 714 a. C. en que los anales asirios mencionan por primera vez a los cimerios.

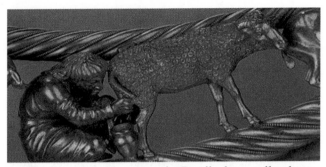

Muchacho ordeñando una oveja. Detalle de un collar de oro escita, hallado en Tovsta Mohyla, Ucrania, del siglo IV a. C. Esta escena, que se repite en los campamentos de pastores nómadas actuales, nos recuerda que la esencia del pastoreo nómada ha permanecido inalterada durante tres milenios.

Desde el extremo occidental de la estepa, el nomadismo pastoral se fue difundiendo hacia el este, apareciendo los primeros nómadas en las estepas del norte de China en el transcurso del siglo IV a. C. No parece que haya que responsabilizar de este proceso a la migración de un único pueblo nómada, sino que se produjo, más bien, por la adopción de este nuevo estilo de vida por las poblaciones que ya habitaban la estepa: diversos tipos de cazadores-recolectores y agricultores limitados a los oasis y ribas de los ríos que la cruzaban.

Por otra parte, esta cronología en la que la agricultura precede en varios milenios al nomadismo pastoral es coherente con las más recientes investigaciones que demuestran, como veremos más adelante, la profunda dependencia que han tenido los pastores nómadas de las civilizaciones de agricultores sedentarios y, en consecuencia, la imposibilidad de que el pastoreo nómada haya precedido cronológicamente a la agricultura. En cualquier caso, como acabamos de ver, para el siglo IV a. C. todo el cinturón herboso que atraviesa el continente euroasiático, y que conocemos como estepa, ya estaba habitado por poblaciones de pastores nómadas que influirían de manera significativa en la vida de los habitantes de las civilizaciones sedentarias vecinas, durante casi dos milenios.

El nuevo estilo de vida nómada nacido a comienzos del I milenio a. C. se mantendrá inalterado, en su esencia, hasta la actualidad, y presenta un notable grado de continuidad cultural, que justifica la utilización de la expresión «civilización de la estepa» para referirse a todos los grupos de pastores nómadas que en ella habitan o han habitado.

EL MEDIO FÍSICO: LA ESTEPA

Cuando hablamos de estepa, todos pensamos inmediatamente en una vasta llanura cubierta de hierba que parece no tener límites. Aunque, a veces, se utiliza el término estepa para hablar de otras grandes extensiones de hierba, como las praderas norteamericanas, las pampas sudamericanas o el *veld* surafricano, nosotros lo limitaremos en este libro a la gran extensión de pastos que atraviesa transversalmente el continente euroasiático.

El término castellano *estepa* proviene del ruso *stepj*, palabra que significa 'desierto', en el sentido de terreno no cultivado ni arbolado. En realidad, la estepa euroasiática es una franja de unos 8.000 km de extensión y de una anchura media de unos 400 km que se extiende, interrumpida únicamente por las cordilleras de los Cárpatos y del Altai, desde la llanura húngara hasta Manchuria, siguiendo la línea del paralelo15. Al norte, limita con los bosques subárticos de la taiga; y al sur, con toda una serie de desiertos como el Karakum, en el actual Turkmenistán, el Kizilkum, en Uzbekistán, el Taklamakán, en el Xinjiang chino y el desierto del Gobi, en el sur de Mongolia.

Estepas euroasiáticas

Las estepas atraviesan Eurasia de manera transversal como una autopista de hierba que favorece el movimiento de los pastores nómadas. Estos movimientos se han producido históricamente desde el este al oeste, y no al revés, posiblemente debido al clima más suave del extremo occidental de la estepa.

En conjunto, la estepa se caracteriza por estar cubierta por un manto vegetal de hierbas altas, y por un clima continental semiárido de veranos calurosos e inviernos fríos y secos; pero puede subdividirse en tres zonas diferenciadas.

En el centro de esta franja, se encuentra la estepa herbosa, que, desde la llanura húngara y la desembocadura del Danubio, pasa por el sur de Ucrania y Rusia, el Cáucaso Norte, el norte de Kazajistán, zonas del este y centro de Mongolia y, finalmente, llega a Manchuria. En este tramo final, la estepa «gira» 90° y penetra en el norte de China, en lo que se conoce como estepa del Ordos. El clima en invierno es muy frío, con temperaturas medias en el mes de enero que oscilan entre los -12 y los -24 °C, aunque la estepa europea, con una temperatura media para ese mismo mes de -6 °C, es más «cálida», mientras que la mongola sufre una media de -27 °C. Por el contrario, los veranos son cálidos en toda la estepa, con temperaturas en el mes de julio que oscilan entre los 18 y los 24 °C.

Por encima de la estepa herbosa, encontramos una zona de transición a los bosques subárticos de la taiga, que se conoce como estepa arbolada y que se extiende desde el norte de Ucrania, pasando por el norte de Kazajistán, el sur de Siberia y el norte de Mongolia. Se caracteriza por combinar los pastos con una cubierta forestal discontinua, un terreno algo más abrupto y un clima menos seco.

Al sur de la estepa herbosa, se extiende la zona de transición entre esta y los desiertos: la estepa semidesértica. Partiendo de la Kalmukia, al oeste del curso inferior del Volga, atraviesa Kazajistán, el norte del mar de Aral, las tierras alrededor del lago Baljash y llega al sur de Mongolia. Aquí los veranos son más cálidos, con temperaturas en el mes de julio que se mueven entre los 24 y los 27 °C. A su vez, la cubierta

Esta imagen de la estepa herbosa mongola se corresponde con la idea popular de una extensión infinita de hierba. Pese a ser un medio inadecuado para la agricultura, la estepa es capaz de sustentar enormes rebaños de ganado, permitiendo el desarrollo del estilo de vida de los pastores nómadas.

de pastos es irregular y menos abundante comparada con la estepa herbosa.

Finalmente, la existencia en algunas cordilleras montañosas, especialmente en el Altai, de pastos situados a diferentes altitudes, da lugar a lo que, a veces, se conoce como estepa de montaña, donde se ha desarrollado un peculiar estilo de pastoreo nómada conocido como nomadismo vertical.

Las diferentes estepas son, y han sido, un medio poco hospitalario para la agricultura. Un suministro de agua inadecuado, la brevedad de las estaciones de crecimiento y las bajas temperaturas durante una parte importante del año han tenido como consecuencia que fuera excesivamente oneroso, cuando no directamente imposible, dedicar tierras esteparias al cultivo agrícola.

Por el contrario, estas han resultado ser un medio excelente para la cría de rumiantes domesticados, debido a que las hierbas que crecen en la estepa son un alimento adecuado y abundante para estos animales, ya que una hectárea de estepa herbosa contiene entre doce y quince toneladas de forraje. Además, en ella crecen mezcladas varias especies de hierbas que maduran en diferentes épocas y que, combinando zonas de pastos de verano e invierno, proporcionan alimento para el ganado durante casi todo el año. Por último, los animales domesticados se adaptan mucho mejor al frío y al calor secos que a la humedad, de forma que podemos acabar por decir que la estepa, en resumen, tiene un clima adecuado para la cría de animales. Fue esta capacidad para sustentar grandes rebaños de herbívoros la que permitió a los pastores nómadas colonizar un medio tan hostil como la estepa de una manera que los agricultores, simplemente, no podían.

DIFERENTES TIPOS DE PASTORES NÓMADAS

Aunque más adelante trataremos el tema en detalle, de entrada podemos subrayar algo tan obvio como es el hecho de que, para considerar a un grupo de personas como pastores nómadas, estos deben desplazarse con regularidad y dedicarse a la cría de ganado. El cumplimiento de estos dos requisitos deja fuera de la definición a las diferentes poblaciones de cazadores-recolectores, que en su mayoría son nómadas pero no pastores, y a muchos grupos de pastores, que pese a criar animales son sedentarios.

De entre los muchos tipos de pastoreo existentes, nos interesan aquellos en los que se produce el desplazamiento de la totalidad o la mayoría de la población y que se reducen a dos: el nomadismo pastoral y el pastoreo seminómada. En este sentido, hay que tener claro que las diferentes formas de trashumancia no pueden considerarse como pastoreo nómada, ya que, aunque implican el movimiento de personas y ganado, la mayoría de la población no participa en los desplazamientos, los pastores que las realizan pertenecen a la sociedad sedentaria, mantienen lazos sociales con las poblaciones agrícolas y comparten su cultura. Por todas estas razones, es más adecuado considerar la trashumancia como una rama especializada de la economía agrícola.

El nomadismo pastoral es una forma de economía en la cual el pastoreo extensivo móvil es la actividad predominante y en la que además la mayoría de la población participa en migraciones pastorales periódicas. Por su parte, el pastoreo seminómada también se caracteriza por la práctica extensiva de la cría de ganado y por el cambio periódico de pastos durante la mayor parte del año, pero, aunque el pastoreo es la actividad económica predominante, también se practica la agricultura, aunque de una manera secundaria y complementaria. Hay que ser consciente de que muchos de los pueblos de las estepas euroasiáticas, a los que las fuentes históricas etiquetaron en su momento como nómadas, también incluían en su seno grupos seminómadas.

A su vez, el nomadismo pastoral puede dividirse en varios tipos, que corresponden a diferentes zonas geográficas, con sus características ecológicas específicas, como por ejemplo el nomadismo africano oriental o el de Oriente Medio. De todos estos tipos, únicamente nos centraremos en el de la estepa euroasiática, que se caracteriza por situarse en un entorno que puede dividirse entre áreas favorables al pastoreo extensivo, áreas favorables a la agricultura y una minoría de áreas intermedias y marginales donde pueden practicarse las dos actividades. Como consecuencia, las poblaciones de nómadas y sedentarios de estas zonas han tendido a ocupar espacios geográficos diferentes, al contrario que en el Oriente Próximo, donde han vivido en contacto compitiendo, a menudo, por el control de las mismas áreas. El nomadismo pastoral de tipo euroasiático combina varias especies de animales en sus rebaños, destacando entre ellas el caballo, animal indispensable y que lleva asociado una fuerte carga simbólica para estos nómadas. También es importante la utiliza-

Un hogar móvil: el *ger*

La vida de desplazamientos periódicos de los pastores nómadas es obviamente incompatible con la residencia en edificaciones permanentes. En lugar de estas, los nómadas han recurrido a una serie de carros y tiendas, sin duda la más difundida y popular de ellas es el *ger*. Conocida erróneamente en occidente por el termino *yurt*, que en realidad es una palabra turca que designa el terreno donde pastan los animales de un grupo, la *ger* es una tienda desmontable compuesta por un armazón articulado de madera, recubierto por piezas de fieltro aseguradas con cuerdas. Una tienda de tamaño normal puede montarse o desmontarse en una hora, es fresca en verano y protege a sus habitantes del frío y del viento en invierno.

ción del *ger*, una tienda desmontable que facilita el estilo de vida errante. Por último, los nómadas de las estepas euroasiáticas han tendido, históricamente hablando, a agruparse en grandes imperios que les han permitido ejercer una considerable influencia sobre sus vecinos sedentarios.

Al analizar su estilo de vida, hay que ser conscientes de dos realidades que marcan, de manera determinante, la sociedad y las relaciones de los nómadas con las poblaciones sedentarias. La primera es la profunda inestabilidad de la economía pastoral, ya que su materia prima, el ganado, se ve afectada de forma cíclica por grandes mortandades, que se producen entre cada seis y once años y que pueden llegar a matar del 50 al 75% de los animales. Estas mortandades tienen una gran variedad de causas, como sequías, epidemias, alteraciones climáticas, inviernos más largos y rigurosos de lo normal... y sus consecuencias para los

Esta *ger* mongola actual es exactamente igual a las
utilizadas por los nómadas de la estepa durante siglos,
excepto por la puerta de madera, que antiguamente consistía
en una pieza de fieltro a modo de cortinaje. Las fuentes
medievales nos informan de que los mongoles del siglo XIII
d. C. podían utilizar, ocasionalmente, tiendas hasta tres
veces más grandes, transportadas por enormes
carros tirados por dos decenas de bueyes.

nómadas son fulminantes, ya que pueden provocar hambrunas que diezmen su población al tiempo que, en los casos más graves, sus rebaños pueden tardar décadas en recuperarse totalmente.

La segunda característica viene dada por la misma esencia de la economía pastoral, ya que la combinación de los tres productos básicos que esta produce, la carne, la leche y la sangre de las reses, no es suficiente para proporcionar una dieta con la que alimentarse de manera saludable. Para completar su alimentación, los nómadas necesitan productos agrícolas que solo pueden obtener, en las cantidades necesarias, de las poblaciones sedentarias.

Considerando todo lo dicho anteriormente, tanto el nomadismo pastoral como también el pastoreo seminómada de las estepas de Eurasia deben considerarse, no como modos de vida primitivos, sino como adaptaciones muy especializadas a las condiciones ecológicas y climáticas extremas que se dan en la estepa. Los dos son, debido a esta misma especialización, unos estilos de vida muy vulnerables.

LOS ANIMALES

Los pastores nómadas de las estepas euroasiáticas han criado básicamente cinco especies diferentes de animales: el caballo, la oveja, la cabra, la vaca y el camello. La mayoría de estas poblaciones, al contrario que los beduinos con los camellos o los nómadas de la tundra con los renos, que se especializan en un solo animal, crían todos estos animales pero varían su importancia según el ecosistema en el que habiten.

Aunque trataremos en detalle el papel del caballo entre los pastores nómadas euroasiáticos en el próximo capítulo, podemos ya adelantar que es el animal más importante y apreciado desde el punto de vista cultural. Por su parte, el más importante para su economía es la oveja, ya que puede alimentarse de una gran variedad de plantas, es capaz de desenterrar comida bajo 15 cm de nieve, se reproduce con más rapidez que los caballos o las vacas y es la principal fuente de leche y carne para la mayoría de poblaciones de pastores nómadas. La cabra tiene un papel secundario en relación a la oveja, excepto en las zonas de pastos marginales, aunque presenta las mismas ventajas que esta. De otro lado, las vacas, que son animales que no resisten bien los desplazamientos largos, aparecen en los rebaños, pero en números reducidos. Los camellos son del tipo bactriano, el de dos jorobas, y acostumbran a tener una presencia limitada en los rebaños, excepto en las zonas más áridas, donde su número aumenta. Se los utiliza principalmente como animales de transporte, fueron la principal bestia de carga en la Ruta de la Seda y también se aprovecha su leche y su pelo.

Todas las poblaciones de pastores nómadas practican un ciclo migratorio que varía en aspectos secundarios según cada grupo, pero que comparte unas características generales. Durante el verano, cuando los pastos son más abundantes y alimenticios, se aprovecha para engordar a los animales para que estén en condiciones de resistir el invierno. Cuando llegan los primeros fríos, los nómadas se desplazan a los pastos de invierno, cuyas características, especialmente la cantidad de animales que estos pueden mantener, son la principal limitación de la economía pastoral. Debido a la escasez de pastos y a su bajo valor nutritivo, durante esta estación el ganado sufre una importante pérdida de peso y, si la primavera se retrasa, puede llegar a morir. Al agotar los pastos de primavera, los nómadas se desplazan hasta los de verano y el ciclo vuelve a comenzar. El siguiente refrán kazajo refleja de forma irónica los altos y bajos, y los peligros a los

Aunque eclipsadas por la importancia simbólica y cultural del caballo, las ovejas constituyen la base de la economía de la mayoría de pastores de la estepa euroasiática. Su número varía de un grupo a otro, pero una familia puede poseer fácilmente un centenar de ellas, junto con unas decenas de cabras y caballos.

que tiene que hacer frente el ganado durante todo el año: «Las ovejas están gordas en verano, fuertes en otoño, débiles en invierno y muertas por la primavera».

Los desplazamientos migratorios pueden ser de dos tipos. En el primer caso, son horizontales, es decir que atraviesan la estepa y pasan de los pastos de verano en el norte, que son más ricos, a los de invierno en el sur, donde la temperatura no es tan rigurosa y la nieve es menos profunda. En el segundo, son verticales y consisten en desplazarse desde los pastos de verano, en las laderas de las montañas, a los de invierno en los valles de montaña. La distancia recorrida oscila entre los varios centenares de kilómetros, a veces más de un millar, en los desplazamientos horizontales, y varias decenas de kilómetros, que rara vez superan el centenar, para los desplazamientos verticales.

En las sociedades de pastores nómadas la propiedad de las tierras, o sería más adecuado decir de los pastos, es colectiva, esto es, que son propiedad de todo el grupo y que todos sus integrantes tienen derecho a utilizarlos. Como consecuencia, los nómadas siguen unas rutas migratorias bastante estables y suelen apacentar sus rebaños en los mismos pastos año tras año. Tanto es así, que es relativamente fácil localizar a un grupo determinado en un momento dado, si se conocen sus recorridos. Los desplazamientos de otro grupo a través de los pastos propios suelen estar permitidos, pero la explotación de los pastos ajenos se considera un grave crimen. En resumidas cuentas, el tópico de los nómadas vagando sin rumbo ni destino por una estepa aparentemente vacía, simplemente, no se corresponde con la realidad.

ORGANIZACIÓN SOCIAL Y POLÍTICA DE LOS NÓMADAS

A lo largo de las estepas euroasiáticas, y durante casi tres milenios, los pastores nómadas han compartido unos principios similares de organización basados en lazos de parentesco. Estos principios organizativos constituyen lo que se conoce como un sistema tribal, que está compuesto por una serie de grupos que se integran a su vez dentro de otros grupos mayores, que también se integran en otros grupos superiores, repitiéndose este proceso varias veces. Su funcionamiento es similar a las conocidas muñecas rusas, que se guardan unas dentro de otras hasta que solo queda la más grande. El resultado es una sociedad compartimentada en grupos y niveles, ordenados según una estructura piramidal.

La célula básica de la organización social en la estepa es la familia, y, de todos los tipos posibles, es la familia nuclear la que ha predominado de manera mayoritaria. Esta consiste en el marido, la mujer y todos los hijos e hijas no casados de la pareja. Una variante común de la familia nuclear, presente por ejemplo entre los mongoles, es aquella en que un hijo, normalmente el menor, vive con sus padres y, tras la muerte de estos, hereda la parte de propiedad que queda después de dotar a sus hermanos y hermanas.

Varias familias pueden agruparse formando un linaje, que es un grupo de descendencia unilineal basado en su procedencia de un antepasado común compartido por todas. Que la descendencia sea unilineal quiere decir que los hijos de un matrimonio solo pertenecen a la familia del padre, o a la de la madre, dependiendo de si se trata de una descendencia patrilineal o matrilineal.

A su vez, varios linajes pueden constituir un clan, que es un grupo de descendencia unilineal que vincula a una serie de colectivos descendientes de un antepasado teóricamente común, cuya genealogía, con frecuencia, no se recuerda o es simplemente falsa. Los clanes pueden estar formados por linajes o directamente por familias, pero en cualquier caso no son capaces de demostrar las genealogías que los unen al supuesto antepasado común.

Finalmente, una serie de linajes o de clanes forman una tribu, que es un sistema segmentario, compuesto de diversas unidades cada vez más grandes y sucesivas, basado en un modelo genealógico. Según el caso, los diferentes linajes o clanes pueden creer, o no, que descienden de un fundador tribal común y que están relacionados por lazos de parentesco.

El funcionamiento del sistema tribal se basa en la teoría de la oposición entre segmentos, según la cual los diferentes segmentos de la tribu (familias, linajes o clanes) se relacionan entre sí según su vínculo genealógico. La cooperación o la hostilidad se miden por la distancia de parentesco que separe a los segmentos implicados. Este principio se recoge en el archiconocido refrán beduino: «Yo contra mis hermanos, mis hermanos y yo contra mis primos, mis hermanos, mis primos y yo contra el mundo». En este sistema, la fuerza política de un individuo viene definida por el poder de su grupo de parentesco. El ideal común de los miembros de la tribu es la supresión, o al menos la limitación, de la violencia colectiva en su seno. De esta manera, las peleas entre linajes y clanes de la misma tribu, incluso en los casos de asesinato, intentan resolverse a través de acuerdos negociados y del pago de multas. Por el contrario, fuera de la tribu el recurso normal para resolver la mayoría de conflictos es la venganza.

Los sistemas tribales de los diferentes pueblos turco-mongoles, que ocuparon la estepa desde finales de la Edad Antigua, aceptaban la existencia de diferencias jerárquicas en la organización del parentesco, que hacía distinciones entre las generaciones más antiguas y modernas, entre clanes nobles y clanes comunes, a menudo denominados «huesos blancos» y «huesos negros» respectivamente, y entre gobernantes y gobernados. Pese a que se conocen tribus igualitarias, en las que los líderes son elegidos por sus miembros y gobiernan a través del consenso y la mediación, en las estepas euroasiáticas han sido más corrientes las tribus con un incipiente grado de jerarquización en las que sus jefes son permanentes, tienen más poder, pueden dar órdenes a los miembros de la tribu en determinadas situaciones y, en la medida en que se les escoge exclusivamente entre los componentes de un linaje o clan «real», son hereditarios.

La importancia del sistema tribal y de las relaciones de parentesco no debe hacernos olvidar la existencia de dos unidades básicas en la vida cotidiana de los pastores nómadas y que no están organizadas, al menos no totalmente, según lazos de parentesco. La primera es la conocida como unidad doméstica, que consiste en el conjunto de personas que viven y trabajan juntas. Normalmente se trata de una familia más sus sirvientes, jornaleros y esclavos. La segunda es el grupo de campo, formado por varias unidades domésticas que comparten pastos comunes y acampan juntas cuando es posible. El tamaño de estos campos se mide por el número de tiendas que lo componen y puede variar, según la zona y la época del año, entre una docena y centenares de tiendas. En cualquier caso, la fuerza del parentesco también se hace notar, ya que a menudo la unidad doméstica coincide con una familia nuclear y el grupo de campo con un linaje.

También hay que tener en cuenta que, pese a su importancia teórica, los lazos de parentesco no modelan la totalidad de las relaciones sociales y que a menudo lo que ocurre es exactamente lo contrario, que sean las relaciones sociales las que modifiquen los lazos de parentesco. A este respecto, es significativo que estos solo sean reales en los niveles más bajos del sistema (familia y linaje) y sean ficticios en los superiores (clan y tribu). Para poder manipular las relaciones de parentesco a conveniencia, sus protagonistas a menudo mantienen genealogías deliberadamente imprecisas que pueden ser retorcidas, manipuladas o directamente reescritas según convenga. Es necesario resaltar que, debido a la movilidad de los nómadas y a la permanente inestabilidad de la economía pastoral, su organización social se ha caracterizado por la fluidez, pudiéndose agregar o separar los diferentes segmentos según las necesidades de cada momento.

Antes de que los nómadas fueran aprisionados dentro de las fronteras de los diferentes estados sedentarios, a este sistema tribal podían superponérsele, en ocasiones, nuevos niveles organizativos, aunque estos no contemplaban ningún lazo de parentesco, ni ficticio ni real, y tenían un carácter netamente político.

El primero era el de la confederación tribal, compuesta por tribus de orígenes a menudo muy diferentes, unidas a ella de manera voluntaria, incorporadas por la fuerza tras su derrota o creadas en su interior después de que esta se formase. Integradas por centenares de miles de personas, estas confederaciones permitían a los pastores nómadas presentar un frente unido de cara al mundo exterior, para obtener los productos sedentarios que necesitaban tan desesperadamente y responder a las amenazas planteadas por los estados sedentarios vecinos. Fueron más frecuentes en las estepas del sur de Rusia, y podían alcanzar el rango de organización estatal como el Imperio jázaro, o no, como en el caso de los kipchak. De manera cíclica, las confederaciones tribales podían emprender la conquista de un estado sedentario, instalando en el trono de este a su dirigente convertido en el fundador de una nueva dinastía. Este proceso se produjo especialmente en el Oriente Próximo y una lista, sin ninguna pretensión de ser exhaustiva, de las más importantes dinastías de origen nómada en los países de esa extensa zona nos permite comprender su magnitud: Gaznavíes, Selyúcidas, Karajánidas, Timúridas, Ak Koyunlu, Otomanos...

Por su parte, los pastores nómadas de la estepa oriental se enfrentaban a una situación diferente: en lugar de una sucesión de estados sedentarios, a veces debilitados o enfrentados entre ellos, se encontraban ante un Imperio con un ejército permanente, extensas fortificaciones defensivas, acceso a unos recursos inmensos y con una población que los superaba en una gran proporción: China. Como una confederación tribal, por no hablar de una sola tribu, no podía influenciar al Imperio chino, los nómadas añadieron un nivel más en su estructura socio-política con la creación de la confederación imperial. Esta consistía en una versión a escala mayor de la confederación tribal, que combinaba la organización tribal para el gobierno en el ámbito local, con una estructura estatal para ocuparse de los asuntos militares y las relaciones exteriores. Su objetivo era la obtención de enormes cantidades de bienes del

Imperio chino, tanto agrícolas como de lujo, necesarias para cubrir las necesidades de la población y el sostenimiento de la propia estructura imperial. Los nómadas podían conseguir su objetivo indistintamente mediante el saqueo, el comercio, la conquista y, especialmente, la extorsión. Esta última se producía de diversas formas, como por ejemplo, mediante la presentación de «tributos» por parte de los nómadas a los chinos, que a menudo consistían tan solo en un puñado de caballos, pero por los que recibían sustanciosos «regalos». Este sistema permitía salvar las apariencias a los chinos, cuyas teorías políticas giraban alrededor de la idea de superioridad del Reino del Medio, la propia China, sobre todos los demás países. Su verdadera naturaleza queda clara si tenemos en cuenta las numerosas ocasiones en que grupos de nómadas amenazaron con atacar China, si no se les permitía presentar los supuestos «tributos» y, por supuesto, recibir a cambio los suculentos «regalos» chinos.

Como los imperios centralizados de la estepa dependían económicamente de la explotación de una China unida y próspera, estaban unidos estructuralmente a ella e, irónicamente, tenían más oportunidades de existir cuando todo el territorio chino estaba bajo el control de una misma administración, que pudiera recaudar y canalizar hacia la estepa los fabulosos recursos que tanto necesitaban. Nada ilustra más claramente esta relación que los casos en que un imperio nómada envió tropas para tratar de apuntalar a una dinastía china en apuros. Así, en el año 757 d. C., la dinastía china de los Tang estuvo a punto de ser destruida por la rebelión de uno de sus propios generales, An Lushan. La intervención de un ejército enviado por el emperador de los nómadas uigures derrotó a An-Lushan, salvando *in extremis* a los Tang.

Los nómadas de la estepa no estaban interesados en conquistar China, sino en explotarla, lo que explica que con una sola excepción los propios mongoles de Gengis Kan, nunca intentaran su sometimiento y que los invasores extranjeros que se apoderaron de toda o parte de China, como los tabgach, los kitan, los yurchen y los manchúes, procedieran de Manchuria y no fueran pastores nómadas. De cualquier manera, y, dado que las necesidades de la producción pastoral ya estaban garantizadas en los niveles inferiores de la organización sociopolítica (familia, linaje-clan y tribu), los segmentos superiores de la misma (confederación tribal y confederación imperial) aparecían de acuerdo con la necesidad del momento y se simplificaban, cambiaban o desaparecían al cambiar esta.

La etnicidad entre los nómadas

Uno de los principales peligros al aproximarnos a una sociedad del pasado consiste en proyectar sobre ella, normalmente de manera inconsciente, características propias de nuestra sociedad. Por ejemplo, en un primer momento, el estudio de las fronteras en la época medieval y la antigua se vio entorpecido por la idea moderna de que la frontera es una línea imaginaria que separa dos estados y que delimita claramente sus respectivos territorios y administraciones. Con el tiempo se ha visto que eso puede ser cierto en la actualidad, pero que en el pasado la frontera acostumbraba a ser una zona, de varios kilómetros de ancho, a lo largo de la cual se situaban, sin coincidir necesariamente, los límites políticos, militares, jurisdiccionales y económicos, de varios grupos humanos que tampoco tenían que ser necesariamente estados.

Del mismo modo, un error común hasta hace unas pocas décadas era aplicar la idea contemporánea de nación, entendida como un grupo altamente homogéneo racial y culturalmente que comparte una descendencia y un destino común y que vive en un estado, a los grupos humanos del pasado. Incluso cuando se utilizaban términos alternativos como *pueblo* y *cultura*, se les daba un significado muy parecido. En realidad, la *nación* es un concepto que no es identificable científicamente y, en consecuencia, hace cuatro décadas que la mayoría de antropólogos prefiere utilizar en su lugar, términos como *etnia* o *grupo étnico*. La visión tradicional de la nación la consideraba como un fenómeno básicamente biológico, compuesta por un colectivo de personas que, se suponía, se reproducían casi exclusivamente entre ellas mismas, y que compartían un origen común, convirtiéndola de esta manera en algo natural y eterno.

Si bien la etnicidad no está relacionada con la biología y unos míticos orígenes comunes, lo está en cambio con la identidad. La voluntad de pertenecer a un colectivo, y de ser aceptado por los otros miembros de este, es la clave para entenderla. Desde este punto de vista, se considera en la actualidad que los grupos étnicos pueden tener un principio y un fin, que su composición cambia y que su desarrollo no es el resultado de características «nacionales» inherentes, sino que están influidos por una variedad de factores políticos, económicos y culturales. En definitiva, se los entiende como el resultado de un proceso histórico. Los grupos étnicos pueden estar formados por personas de orígenes muy diversos que no necesariamente han de hablar una única lengua ni, desde luego, compartir unos rasgos fisiológicos determinados como el color de la piel, cabello y ojos. Es precisamente para cohesionar estos grupos, a veces, tan heterogéneos, que es necesario inventar una identidad que puedan compartir sus miembros y que los distinga de otros colectivos.

Esta nueva visión considera que la etnicidad y las identidades étnicas se construyen y, por lo tanto, son dinámicas, pudiendo estas ser ambiguas o incluso contradictorias. En ocasiones, una persona puede escoger entre varias identidades étnicas según le convenga, como, por ejemplo, los múltiples generales del ejército romano del Bajo Imperio (siglos III-V d. C.), de origen bárbaro que podían identificarse como godos, francos o alanos, o como romanos. La concepción actual de etnicidad ya no permite utilizar el viejo método de clasificar a los grupos humanos según unas supuestas características únicas, permanentes y específicas, de manera no muy diferente a como la biología cataloga las diferentes especies. En su lugar, hay que averiguar cómo se construyen, o se construyeron, las identidades colectivas de estos grupos.

Con todo, no puede negarse que muchas sociedades del pasado creían que los múltiples grupos humanos eran diferentes y que podían distinguirse entre sí atendiendo a factores como la lengua, las armas, el modo de vestir, las costumbres, las leyes..., lo que vendría a confirmar la aproximación «nacionalista» empleada por muchos historiadores. Pero en realidad esto no es así, ya que la mayoría de identidades étnicas del presente y del pasado no están ligadas claramente a un conjunto de signos externos que hagan reconocibles, sin posibilidad de confusión, a sus portadores. Si mucha gente ha creído, y cree, en su existencia, es porque sirve para convertir la maraña de diferentes estilos de vida en un universo ordenado.

Para ilustrar la naturaleza cambiante de las identidades étnicas, podemos comparar en qué consistía «ser romano» en dos momentos de la historia separados entre sí por un millar de años. En el siglo III a. C., la identidad romana estaba ligada al estatus político de ciudadano, que se expresaba en el derecho a votar en los diferentes comicios y en la obligación de participar en la defensa de la comunidad. Por supuesto, un romano debía hablar latín y cumplir una serie de normas, como por ejemplo, vestir con túnicas y beber el vino rebajado con agua, al contrario que los bárbaros, que vestían pantalones y bebían el vino puro. Un milenio después, en el siglo VII d. C., solo sobrevivía la mitad oriental del Imperio, cuyos habitantes continuaban considerándose a sí mismos romanos, pero a la que los historiadores contemporáneos dan el nombre de Bizancio o Imperio bizantino. En ese momento, casi la totalidad de individuos que se identificaban como romanos hablaban griego y no latín, no participaban en ningún tipo de consultas políticas y la defensa colectiva estaba restringida a profesionales. Además, un elemento fundamental de la romanidad del momento lo constituía la profesión de la fe cristiana. Lo que no había cambiado era la importancia del papel del bárbaro como negación y opuesto a la identidad romana. Pero claro, algo parecido podría decirse de otros imperios sedentarios, especialmente del chino.

A la hora de juzgar esta identidad romana medieval, nada más adecuado que fijarnos en si otros colectivos se la creían. La respuesta es un sí rotundo. Cuando en el año 1071, y tras expulsar a los bizantinos, un grupo de nómadas oghuz, capitaneados por el clan de los selyúcidas, se asentó en la mayor parte de la península de Anatolia, en la actual Turquía, escogió como nombre para su nuevo estado el de Sultanato de los Rum, reconociendo así que su población estaba compuesta mayoritariamente por romanos.

De hecho, el único inconveniente a la hora de aplicar la manida expresión «la caída del Imperio romano» a la conquista de Constantinopla por los turcos otomanos, en el año 1543, es que los exiguos restos de Bizancio no se merecían desde hacía dos siglos y medio el calificativo de imperio.

Por lo que respecta a la etnicidad entre los nómadas de la estepa, esta es esencialmente igual que entre los sedentarios, con la excepción de que, debido a su estilo de vida móvil, los procesos étnicos se producen entre ellos de una manera mucho más rápida.

Bastantes investigadores se han dedicado a intentar identificar de forma absoluta los pueblos nómadas mencionados por las fuentes históricas, y han probado a relacionar entre sí los nombres recogidos por los autores y especialistas, antiguos y medievales, en Grecia, Roma, China o Persia. Este enfoque ha llevado, por ejemplo, a proponer que los xiong-nu, que crearon el primer gran Imperio en las estepas de Mongolia entre los siglos II a. C. y II d. C., serían los mismos que los hunos que desestabilizaron el mundo romano durante la primera mitad del siglo V d. C. Esta teoría, que pretende relacionar dos grupos de los que nos hablan las fuentes históricas, pero que están separados por miles de kilómetros y centenares de años, basándose casi exclusivamente en una débil similitud fonética, es en la actualidad muy discutida.

El nuevo enfoque sobre la etnicidad es especialmente útil para estudiar a los grupos de pastores nómadas de la estepa, ya que su énfasis en las identidades y no en supuestas continuidades biológicas nos permite explicar las constantes «apariciones» y «desapariciones» de pueblos que nos transmiten las fuentes. Lo que sucedió realmente no es que pueblos enteros apareciesen de la nada y se esfumasen sin dejar rastro, sino que los pastores nómadas se agrupaban según sus necesidades y creaban identidades para cohesionar esos grupos, compuestos por gentes de muy diversos orígenes y que, incluso, podían hablar lenguas diferentes. Cuando las necesidades cambiaban, ya fuese por una derrota, por divisiones internas o porque la identidad colectiva no «cuajase», el grupo se deshacía y sus componentes se separaban y formaban nuevos grupos o se integraban en otros ya existentes.

A primera vista la etnicidad podría parecer algo incompatible con el sistema de organización tribal, pero en la práctica no lo era, ya que este utilizaba parentescos ficticios precisamente en sus niveles supe-

41

riores y, como hemos comentado en el apartado anterior, a menudo mantenía genealogías imprecisas que podían modificarse para cubrir necesidades políticas o sociales, o para adaptarse y justificar nuevas identidades. El panorama que obtenemos con el nuevo enfoque basado en identidades es más complejo que el que nos proporcionaba el modelo anterior, pero también es más rico y fructífero. Dada la naturaleza ambigua y difusa de las identidades étnicas, utilizaremos deliberadamente a lo largo de la obra términos poco concretos como grupo y pueblo. Estos harán referencia a los diferentes colectivos de pastores nómadas y a las identidades que creaban y modificaban.

RELACIONES ENTRE NÓMADAS Y SEDENTARIOS

Como hemos visto anteriormente, los nómadas necesitaban obtener productos agrícolas con los que completar su dieta y solo podían obtenerlos, en la escala que necesitaban, de las civilizaciones sedentarias que bordeaban la estepa. Esta necesidad obligaba a las poblaciones de pastores nómadas a relacionarse forzosamente con sus despreciados vecinos sedentarios. Las formas que adoptaba esta relación podían ser muy variadas. Quizás la más radical era la sedentarización de los propios nómadas que, al abandonar su estilo de vida, también dejaban atrás las debilidades que conllevaba. Esta presentaba, como problemas, la necesidad de encontrar un territorio para asentarse fuera de la estepa, donde no se podía practicar la agricultura y suponía el abandono de su modo tradicional de vida, de sus modelos de pensamiento y de comportamiento y, en definitiva, de su visión del mundo.

Otra opción era el comercio, que permitía obtener de manera pacífica alimentos y bienes manufacturados. Estas transacciones eran indispensables para los nómadas pero para los estados sedentarios solo eran un complemento para su economía y podían, por lo tanto, prescindir de ellas cuando quisiesen. Gracias a esta diferente importancia del comercio, las civilizaciones sedentarias podían utilizarlo, especialmente en el caso de China, para presionar a los nómadas, cerrando los mercados fronterizos y cortando el flujo de productos a la estepa. En cualquier caso, las mortandades del ganado hacían que los nómadas no tuviesen, a menudo, el excedente necesario para comerciar.

Los nómadas podían optar finalmente por obtener lo que buscaban de una manera violenta, a través de un amplio abanico de opciones que iban desde las razias, a la conquista de un estado sedentario, pasando por la extorsión pura y dura a través de una política de terrorismo fronterizo. En el siguiente capítulo, proporcionaremos una visión detallada de todas estas actividades.

Las reacciones de las civilizaciones urbanas ante este «problema nómada» también fueron muy diversas pero, hasta el siglo XVII y el fin de la superioridad militar nómada, no hubo una solución, pacífica o por la fuerza, plenamente satisfactoria para los sedentarios. Comprar a los nómadas podía llegar a ser exorbitantemente caro, ya que estos combinaban los ataques con las negociaciones para aumentar cada pocos años el volumen de la extorsión. Además, debido a la débil centralización de las poblaciones nómadas, pocos de sus líderes podían garantizar al cien por cien el cese de las razias contra los sedentarios.

Una política de ofensiva militar contra la estepa era militarmente muy complicada y, peor aún, era todavía más cara que el soborno a los nómadas. El coste de la guerra y, sobre todo, de mantener un contingente importante de caballería estabulada para combatir a los jinetes nómadas superaba con creces el presupuesto de cualquier gobierno. De hecho, la China de la dinastía Han abandonó esta opción contra los xiong-nu cuando el coste de las operaciones militares había llevado al estado al borde de la bancarrota.

Finalmente, una política de defensa militar, cortando los subsidios y el comercio con los nómadas y atrincherándose tras fortificaciones en la frontera, tampoco era la solución al problema, ya que aumentaba espectacularmente el número de ataques por parte de estos, que, además, no podían contenerse completamente.

Independientemente de qué política empleasen en cada periodo, las cortes de los estados sedentarios, especialmente en el caso de los Imperios chino y bizantino, seguían, en la medida de lo posible, los asuntos de la estepa. Se informaban de las querellas y luchas entre los diferentes grupos y azuzaban, siempre que podían, a unos bárbaros contra otros. Su objetivo último era evitar la formación en la estepa de un poder demasiado fuerte que pudiera suponer un peligro grave.

2

Lobos de la estepa:
Los guerreros nómadas

Durante más de dos milenios, entre el siglo VIII a. C. y el siglo XVII d. C., los pastores nómadas de la estepa gozaron de una clara superioridad militar sobre sus vecinos sedentarios. A lo largo de este periodo, las civilizaciones de agricultores sedentarios se vieron expuestas a las depredaciones constantes de bandas de guerreros nómadas y, en menor medida, pero con regularidad, algunas fueron conquistadas por ellos, que se establecieron en cada país como una casta dominante.

Los elementos que cimentaron esta superioridad militar son tres: el caballo, el arco compuesto recurvo y un estilo de vida que convertía a los nómadas en guerreros natos.

EL CABALLO

Gracias a la arqueología sabemos que el caballo fue domesticado por primera vez en la estepa del Mar Negro. Entre los ríos Dnieper y Don se han documentado varios yacimientos pertenecientes a la cultura de

Srednij Stog, con numerosos restos de caballos, todos ellos datados en el IV milenio a. C.

En un primer momento el caballo fue criado no como animal de transporte, sino como alimento por su leche y su carne, y por toda una serie de productos secundarios (cuero, tendones, crines y pezuñas). Igual que con otros animales domesticados, con el tiempo, la cría selectiva produjo animales más grandes y fuertes que, ya en el II milenio a. C., eran capaces de arrastrar carros.

El desarrollo más espectacular del carro primitivo fue el carro de guerra inventado probablemente en la frontera entre la estepa y los pueblos sedentarios hacia el 1700 a. C., y que se difundió rápidamente entre las civilizaciones agrícolas del Próximo Oriente. En cualquier caso, el carro de guerra, caro de fabricar y mantener, tuvo un uso limitado en la estepa pero se convirtió en el núcleo de los ejércitos de los estados sedentarios durante casi un milenio.

Mientras tanto, de vuelta en la estepa, a finales del II milenio a. C. se empezaron a montar directamente los caballos sin necesidad de que estos arrastrasen una plataforma sobre ruedas. La monta debió desarrollarse en el contexto de cría del caballo como alimento ya que, si el pastor va montado, le es más fácil cuidar de su rebaño y este puede tener más animales. Pero junto a las ventajas para el pastoreo, pronto se haría evidente que la monta del animal también tenía aplicaciones militares.

De las primeras especies de caballos domesticados por el hombre, una ha sobrevivido —aunque en peligro de extinción— hasta nuestros días y nos ha permitido saber cómo eran los caballos de los primeros nómadas: se trata de la raza przewalski. Los ponis przewalski, nombre más apropiado que caballo por su morfología, se caracterizan por tener un tamaño menor que el de los caballos domésticos, con unas patas

Las diferentes razas de caballos de la estepa, como estos ponis przewalski que buscan su alimento bajo la nieve, fueron uno de los motivos del éxito militar de los pastores nómadas.

proporcionalmente más cortas y una cabeza más grande. Su tamaño oscila alrededor de los 2 m de largo y los 350 kg de peso.

Son conocidos por su gran resistencia física y por soportar temperaturas muy bajas, gracias a su espeso pelaje. Al contrario que los caballos criados en las civilizaciones sedentarias, pueden alimentarse de pastos de cualquier calidad (literalmente: pueden comer hojas de los árboles) y en invierno son capaces de desenterrar comida cubierta por medio metro de nieve. Además, sus pezuñas son muy resistentes y no necesitan ser herradas. Por todo ello puede afirmarse que la przewalski es la raza de caballos que soporta unas condiciones más duras y que menos cuidados necesita, confiriendo a sus amos un grado de movilidad superior al de la caballería estabulada de los estados sedentarios.

Los primeros caballos de la estepa se cruzaron de diversas maneras dando origen a varias razas, muchas de ellas utilizadas por los diferentes pueblos nómadas: como el tarpán, extinguido en el siglo XIX, el caballo altaico, el turkmeno y el poni mongol, aunque este último es casi idéntico al przewalski.

La utilización de estas diversas razas de caballos proporcionó a los pastores nómadas toda una serie de ventajas sobre los agricultores sedentarios.

A nivel táctico, el caballo confería a los nómadas una movilidad muy superior a la infantería que solía constituir el grueso de los ejércitos a los que se enfrentaban. Esta movilidad se explotaba gracias a una de las tácticas preferidas por todos los pueblos nómadas: la retirada fingida. El origen de esta treta se basaba en el hecho de que las batallas campales de la época anterior a la pólvora no se libraban hasta que todos los soldados de uno de los dos bandos eran exterminados, sino que el resultado final se conseguía al poner en fuga a todo, o buena parte, del ejército enemigo. Un paso previo para conseguir esta retirada masiva era hacer perder la cohesión de grupo a las unidades enemigas. En las guerras entre estados sedentarios esto se conseguía con una serie de enfrentamientos con armas cuerpo a cuerpo, pero los nómadas desarrollaron un sistema aún mejor: al poco de empezar el combate fingían huir del campo de batalla arrastrando tras de sí a sus enemigos, en una persecución en la que estos probablemente perderían su cohesión, o directamente, abandonarían sus formaciones. Una vez conseguido esto, los nómadas detenían su huída, a veces en el lugar de una emboscada preparada de antemano, reformaban y atacaban a sus desorganizados perseguidores, derrotándolos la mayoría de las veces.

La retirada fingida podía aplicarse también a nivel estratégico prolongando la huida y la persecución durante varios días. La campaña de los mongoles en Europa el año 1241 nos proporciona un buen ejemplo: tras encontrarse con un ejército dirigido por el rey Bela de Hungría en las cercanías de la ciudad de Pest, los mongoles fingieron retirarse durante nueve días. En ese momento, y tras convencer a sus enemigos de que habían derrotado por completo a los invasores, cruzaron por sorpresa el río Sajo y les vencieron totalmente en las cercanías de Mohi.

EL ARCO COMPUESTO RECURVO

Al tratarse de un arma construida con materiales orgánicos, y por lo tanto perecederos, no contamos con pruebas directas (la conservación de un ejemplar) para datar la invención del arco y, en consecuencia, debemos conformarnos con pruebas indirectas. Debido a esta situación, los prehistoriadores no se ponen de acuerdo acerca de la fecha de invención del arco: la mayoría acepta una cronología de aparición alrededor del 12000-10000 a. C., pero algunos hacen retroceder esta fecha hasta el 20000-25000 ya que entonces se desarrollaron pequeñas puntas de piedra que pudieron haberse utilizado en flechas y no en jabalinas o lanzas como hasta ese momento.

En su versión más simple, el arco consistía en una vara de madera, con una cuerda atada a cada uno de sus extremos, de modo que esta se combaba siguiendo una forma curva. Al tensar la cuerda, la vara de madera acentuaba su curvatura y aumentaba, al mismo tiempo, la tensión que soportaba. Al soltarse la cuerda, la madera recuperaba su forma original, transmitiendo en el proceso la tensión acumulada a un proyectil apoyado en la cuerda: la flecha.

La nueva arma se convirtió en una excelente herramienta de caza para los hombres del paleolítico final que, gracias a ella, ya no tenían que arriesgarse a luchar a corta distancia con las presas grandes. Este primer tipo de arco se conoce como arco simple y, por supuesto, también podía utilizarse cuando las presas eran otros seres humanos.

Pero el arco simple no fue utilizado por los pastores nómadas. El arco, con el que se hicieron célebres y que nos interesa, suele denominarse arco compuesto porque, como veremos enseguida, se fabrica con varios materiales. Pero como esto también ocurre excepcionalmente con algunos arcos simples, es más correcto denominar al primero arco compuesto recurvo.

Su invención se produjo en la estepa a mediados del II milenio a. C. y, pese a algunos pequeños cambios, ha permanecido esencialmente inalterado hasta la actualidad.

En el complejo proceso de fabricación del arco compuesto recurvo se pueden utilizar varios tipos de madera (arce y abedul son las más corrientes), cuerno, tendón, cuero, hueso y bambú. En un primer momento se talla una pieza alargada de madera o bambú que constituye el núcleo del arco. A la cara externa de este núcleo se encolan, tras surcar su superficie para mejorar la adherencia, una o varias piezas de cuerno creando la «barriga» del arco. A continuación, el arco se amolda en una curva opuesta a la que tendrá una vez finalizado y se deja secar, como mínimo, dos meses.

El siguiente paso consiste en encolar varias capas de tendones en el lado opuesto para formar la «espalda» y se vuelve a dejar secar. Finalmente, y para protegerlo de la humedad, el arco se forra con cuero o con corteza de árbol.

El proceso total puede durar alrededor de un año y tiene como resultado un arma muy potente, que no fue superada por las armas de fuego hasta el siglo XVII.

Los principios bajo los que funciona el arco compuesto recurvo son dos: la compresión y la dilatación. Al encordar el arco, y aún más al tensarlo, el hueso de la «tripa» es comprimido, mientras que los tendones de la «espalda» se dilatan y los dos materiales tienden a recuperar su posición original, creando un

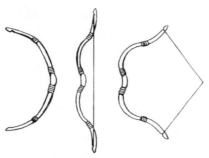

El arco compuesto recurvo fue el arma por antonomasia de
los guerreros nómadas de la estepa, no superado en alcance
y potencia por las armas de fuego hasta el siglo XVII.
De izquierda a derecha: descordado, encordado
y tensado para disparar.

arco muy fuerte y flexible. Más aún, su sistema de
fabricación permite que el arco compuesto recurvo sea
igual de potente que los arcos simples más grandes,
pero con un tamaño mucho menor y disfrutando de una
precisión mayor.

Los arcos simples pueden llegar a ser muy potentes, pero para conseguirlo deben aumentar su tamaño, hasta alcanzar longitudes alrededor de 1,8 cm,
como el famoso *longbow* galés. Este tipo de arcos es
muy difícil de disparar desde la grupa de un caballo,
al contrario que los arcos compuestos recurvos, cuya
longitud oscila alrededor del metro.

Como hemos comentado anteriormente, el arco
compuesto se mantuvo esencialmente inalterado a
través del tiempo y el espacio, sufriendo solo pequeñas
variaciones en los materiales y detalles externos
durante más de tres milenios.

La única innovación técnica digna de comentar
fue la incorporación, durante el periodo huno (siglo IV-
V d. C.) de una pieza maciza, de hueso o madera, al
extremo de cada una de las palas del arco, llamadas

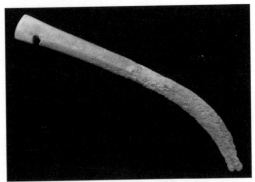

Siha de hueso de un arco ávaro. Segunda mitad del siglo VII d. C. Su utilización facilitaba el disparo y, probablemente, mejoraba la precisión del arma.

siha. Colocadas en un ángulo opuesto al de las palas, estas *siha* realizaban un efecto palanca que aumentaba la potencia del arco, al tiempo que reducía el esfuerzo del arquero para tensarlo.

La variedad de puntas de flechas utilizadas en la estepa era enorme, y sus formas y tamaños variaban según la función a la que estuviesen destinadas. No es solo que hubiese puntas diferentes para la caza y la guerra, sino que para la caza existían puntas específicas si la presa era un ave, pescado, caza mayor o caza menor. De la misma manera, en la guerra se utilizaban puntas diferentes para objetivos sin protección o acorazados, y existían también flechas de largo alcance.

Los escitas y pueblos iranios emparentados fundían sus puntas de flecha en bronce, pero en el resto de la estepa y posteriormente, predominaban las puntas de hierro forjado y, para los guerreros más pobres, las fabricadas con hueso.

El astil se podía fabricar con caña o con diferentes maderas, siendo la de abedul la más utilizada. Para las plumas también se empleaban las de varias aves.

Hay una cierta falta de consenso a la hora de valorar el alcance de los diferentes arcos compuestos recurvos. Gracias a la epigrafía conocemos casos de disparos que alcanzaron distancias asombrosas, como los recordados en sendas inscripciones: una del siglo IV a. C. procedente de la colonia griega de Olbia, situada a orillas del Mar Negro, y otra encontrada en Mongolia y fechada durante el reinado de Gengis Kan. Las dos conmemoran disparos que superaron los 500 m, aunque el mismo hecho de que se decidiera recordar en piedra el alcance conseguido nos habla de su excepcionalidad.

Pruebas con reconstrucciones modernas de estos arcos sugieren un alcance práctico, con capacidad de acertar a un objetivo individual, de alrededor de 175 m. Pero debemos tener en cuenta que a esa distancia la flecha no tenía por qué provocar una herida mortal, así que el alcance letal del arco estaría alrededor de los 50 o 60 m. Por otra parte, en las batallas campales, como veremos más adelante, los arqueros no apuntaban contra blancos individuales, sino que actuaban en grupo, realizando lo que actualmente calificaríamos como ataques de saturación, concentrando en una porción del ejército enemigo un gran número de proyectiles.

Resumiendo, y dependiendo de las condiciones del combate y de las protecciones que llevara el objetivo, el alcance práctico de la mayoría de arcos compuestos recurvos oscilaría entre los 50 y los 200 m.

El binomio caballo-arquero se convirtió, desde un principio, en la característica esencial de los ejércitos de pastores nómadas de la estepa. Les confería una movilidad, táctica y estratégica, superior a la de sus adversarios sedentarios que pronto aprendieron a temer a las bandas de guerreros que la estepa vomitaba con regularidad.

Unos guerreros natos

Si en algo coinciden los cronistas de las civilizaciones sedentarias es en que los pastores nómadas de la estepa llevaban un tipo de vida que los convertía en excelentes guerreros. Montando a caballo la mayor parte del día, eran considerados unos jinetes insuperables. Además, dedicaban buena parte del tiempo en el que custodiaban sus rebaños a tirar con arco desde los lomos de sus caballos, ya fuese para cazar o simplemente para practicar, gracias a lo cual también eran unos consumados arqueros. Refiriéndose a los xiong-nu, en el año 200 a. C. un historiador chino afirmó: «Los niños pequeños comienzan aprendiendo a montar y disparando con arco a pájaros y ratas». Con respecto a los niños mongoles, el padre franciscano Giovanni di Piano Carpini, enviado por el papa Inocencio IV ante el Gran Jan, en 1245, escribió: «Desde los dos o tres años montan caballos y disparan con arcos». De esta manera, su habilidad como jinetes arqueros no podía ser igualada por los soldados de los estados sedentarios que se entrenaban, como mucho, unas pocas horas al día. Pero no eran estas las únicas ventajas que su estilo de vida proporcionaba a los nómadas, ya que debían vivir en zonas con un clima simplemente atroz, especialmente en invierno, realizando trabajos de una gran dureza física. Esta vida les endurecía y preparaba para las privaciones que han de soportar todos los que participan en la guerra. Por último, al vivir en grupos tan cercanos al límite de la mera subsistencia, los pastores nómadas se veían obligados a organizarse de una manera muy eficiente y ordenada, a través de una rudimentaria disciplina. Al ser unos jinetes arqueros verdaderamente excepcionales y unos guerreros muy sufridos y relativamente disciplinados, los nómadas se convertían en unos adversarios realmente temibles para sus vecinos sedentarios.

OTRAS ARMAS Y ARMADURAS

El arsenal de la estepa no varió de manera esencial desde la aparición de los primeros pastores nómadas. Al ubicuo arco compuesto recurvo se sumaban toda una serie de armas de combate cuerpo a cuerpo. La más común entre ellas era la lanza, pero también se utilizaban espadas, mazas y hachas. Su forma podía cambiar con el tiempo; por ejemplo, las espadas rectas de dos filos fueron desplazadas en gran medida por los sables curvos de un solo filo a partir del siglo VI d. C., pero las armas de los guerreros escitas del siglo V a. C. eran esencialmente las mismas que las de los mongoles del siglo XIII d. C.

Las armas defensivas metálicas, como cascos, corazas y, en ocasiones, protecciones para brazos y piernas, estaban limitadas a la minoría de guerreros que podían costearlas y que constituían la caballería pesada. Según los diferentes periodos se emplearon cotas de escamas, de mallas y laminares, que se fabricaban con láminas metálicas unidas entre sí por tiras de cuero.

Todas estas protecciones se fabricaban también en materiales perecederos, como el cuero o tejidos acolchados, pero es difícil saber la proporción de guerreros que las empleaban, ya que por su propia naturaleza no se conservan en el registro arqueológico excepto en condiciones especiales.

Muchas veces, esas piezas eran versiones en cuero de las protecciones metálicas, pero más asequibles y fáciles de fabricar, como el magnífico ejemplar de cota de escamas escita expuesto en el Museo de Arte Metropolitano de Nueva York. Está formado por una capa de escamas de cuero endurecido cosidas a un jubón de cuero flexible, y es idéntico a otras piezas escitas excepto por la sustitución del bronce por cuero a la hora de fabricar las escamas. Con ellas se equipaban al menos una parte de los guerreros que combatían como jinetes arqueros ligeros.

LA RAZIA

La razia es un ataque rápido realizado con el objetivo, no de enfrentarse con el enemigo y conquistar sus tierras, sino de saquear y destruir sus posesiones para regresar a casa cargado de botín.

Era una de las actividades guerreras favoritas de los pastores nómadas y, en cierto modo, resultaba una de las más destructivas ya que, si se repetían con regularidad en una misma zona, podían llegar a despoblarla, creando verdaderas zonas de «tierra de nadie» entre los nómadas y los sedentarios.

Las partidas que participaban en estas razias podían variar enormemente en tamaño, desde unas pocas decenas a varios miles de guerreros.

Por poner un ejemplo extremo: en el año 1221, tras la conquista de Jorasmia, el general mongol Subedei fue encargado de realizar una titánica expedición de exploración de la estepa occidental, para la cual se le puso al mando de un ejército de cuarenta mil jinetes. Durante tres años los hombres de Subetei atravesaron el Cáucaso y las estepas del sur de Rusia derrotando a georgianos, kipchak y a los rus, regresando finalmente a Mongolia con un enorme botín.

Las respuestas de los agricultores sedentarios a este tipo de amenazas eran tan variadas como el éxito de las mismas, e incluían, entre otras: ataques de represalia contra los nómadas, construcción de fortificaciones defensivas en las fronteras y la defensa de las mismas por nómadas al servicio de los estados sedentarios.

Los ataques de represalia solían ser bastante ineficaces, ya que los nómadas, al no estar atados a campos o asentamientos, podían limitarse a retroceder ante los atacantes y esperar a que estos se quedaran sin provisiones. El primer ejemplo conocido de una invasión de la estepa para castigar a los nómadas lo llevó a cabo el rey persa Darío I en el año 512 a. C. contra los escitas. Estos eran pastores nómadas que hablaban una lengua irania y habitaban las estepas del sur de Ucrania y Rusia. En vez de enfrentarse a los persas para proteger sus tierras, como se habría visto forzado a hacer cualquier pueblo sedentario en la misma situación, los escitas enviaron a sus familias a lo más profundo de la estepa y se limitaron a retirarse gradualmente, pero sin llegar a perder de vista a sus perseguidores persas. De esta manera los fueron atrayendo más y más al interior de la estepa, cegando los pozos de agua potable, quemando los pastos, hostigándolos constantemente y atacando a sus partidas de forrajeadores.

Tras casi dos meses de persecución, Darío, cuyo ejército empezaba a andar escaso de provisiones, se vio forzado a renunciar a su objetivo y regresó a Persia. Pese al fracaso de su invasión de la estepa, pudo considerarse un hombre afortunado, ya que las fuentes chinas están plagadas de casos de expediciones de castigo a los nómadas que terminaron siendo un desastre, con solo una fracción de la fuerza invasora original pudiendo regresar de la estepa.

En cualquier caso, los nómadas no eran totalmente invulnerables en la estepa. Si se daban las condiciones adecuadas, podían ser víctimas de un ataque por sorpresa que les impidiese refugiarse en el interior de su mar de hierba, aunque tal cosa se produjo en contadas ocasiones.

La erección de fortificaciones podía resultar una opción más efectiva, aunque estas eran caras de construir, mantener y defender. El caso más espectacular lo constituye sin duda el de la conocida como Gran Muralla china. Esta es en realidad un conjunto de

Este plato representa al monarca persa Sapor II de caza
(310-320 d. C.). Está disparando a pleno galope, justo
cuando ninguna de las patas de su montura toca el suelo.
Una técnica difícil pero que mejoraba notablemente
la puntería. Al mismo tiempo realiza el conocido como
«disparo parto», consistente en girarse y disparar
hacia atrás y que permitía atacar a cualquier perseguidor.

murallas construidas, unidas, ampliadas y reformadas durante casi dos milenios, por los diferentes estados sedentarios situados en lo que actualmente es el norte de China, para protegerse de los ataques de los nómadas. Como todas las fortificaciones lineales, no estaba pensada para detener a un gran ejército, sino para «impermeabilizar» la frontera contra pequeños grupos de enemigos, en este caso jinetes nómadas.

Por último, un estado sedentario podía asentar nómadas en sus fronteras con la misión de defenderlas contra sus parientes de la estepa. Este sistema podía ser difícil de llevar a la práctica, pero también podía dar resultados bastante buenos. Quizás el caso más exitoso documentado sea el de los *cherni klobutsi*, los 'capuchas negras', nómadas turcos establecidos por los príncipes rus en sus fronteras con la estepa, durante los siglos XI y XII.

LA BATALLA CAMPAL

Además de las razias inesperadas, los nómadas eran perfectamente capaces de plantar cara a un enemigo en batalla campal. En esta, el arma principal era el arco compuesto, aunque su utilización, a veces, no ha sido comprendida correctamente.

En condiciones normales los nómadas comenzarían la batalla disparando al enemigo con sus arcos, bien desde una distancia media, bien a través de repentinos avances y retiradas. Los arqueros no dispararían de manera individual contra adversarios concretos, sino que unidades enteras de jinetes lanzarían descargas masivas de flechas contra porciones del ejército enemigo. El objetivo de estas descargas sería matar o herir al mayor número posible de adversarios, pero sobre todo «ablandar» al ejército contrario, desmoralizándolo y desorganizando sus unidades. Esta primera fase sería llevada a cabo por los arqueros ligeros, jinetes equipados con poca o ninguna protección, que constituían el grueso de los ejércitos nómadas.

Una vez debilitado el ejército enemigo, la minoría de jinetes equipados con equipo pesado, que hasta ese momento se habrían encargado de proteger a la caballería ligera, lanzarían cargas contra él para provocar la huida de sus unidades. En el caso de no conseguirlo, la caballería pesada se retiraría y la ligera continuaría hostigando a los enemigos, reiniciando todo el ciclo una vez más. Este proceso, combinado a veces con maniobras para desbordar uno o los dos flancos del ejército enemigo, se repetiría tantas veces como fuera necesario hasta conseguir poner en fuga al adversario.

Durante toda la batalla, se producirían constantemente movimientos de unidades de jinetes nómadas con la intención de desorientar al contrario y, quizás, de provocar una carga precipitada por su parte. Además, también podría utilizarse el truco de la retirada fingida, como hemos comentado anteriormente.

En ese momento y con el ejército enemigo descomponiéndose, se llegaría a la fase culminante de la batalla: la persecución. En ella participarían unidades ligeras y pesadas y, pensando en ella, todos los jinetes nómadas irían equipados, aparte de con el ubicuo arco, con al menos un arma de combate cuerpo a cuerpo, ya fuese esta una lanza, espada, maza o hacha. También sería en esta última fase donde se producirían más bajas entre las filas del ejército derrotado, siendo los nómadas famosos por prolongar estas persecuciones, en ocasiones, durante centenares de kilómetros.

Es importante entender que, aunque imprescindible, la fase del «bombardeo» solo era el preludio del combate cuerpo a cuerpo, verdadero árbitro del resultado de las batallas. Tanto es así que, en condiciones excepcionales, al encontrar a un enemigo en una situación especialmente desfavorable, los nómadas prescindían de los arcos y pasaban directamente a utilizar el «frío acero».

Un ejemplo paradigmático de una de estas raras situaciones se produjo durante la enorme expedición de exploración y saqueo de la estepa occidental mandada por el general mongol Subetei y a la cual ya nos hemos referido con anterioridad. Tras contactar con un ejército aliado de los principados Rus y de kipchak, los mongoles realizaron una retirada fingida a nivel estratégico durante nueve días, hasta que se dieron las condiciones para presentar batalla de una manera extremadamente ventajosa para ellos.

El noveno día de persecución la vanguardia del contingente aliado cometió el error de cruzar el río Kalka sin esperar la llegada del resto del ejército. Mientras una parte de la vanguardia aún cruzaba el río y la otra trataba de formar en la orilla opuesta, los mongoles se lanzaron al ataque, obviando la fase de arquería, y cargando cuerpo a cuerpo. El resultado de este inesperado asalto fue la destrucción de la vanguardia de rus y kipchak, los fugitivos de la cual desorganizaron al resto de su ejército, que llegaba en ese momento, y que tampoco pudo hacer frente al ataque de los mongoles. De esta manera y pese a hacer un uso bastante limitado de sus famosos arcos compuestos, los mongoles fueron capaces de destruir, casi en su totalidad, a un ejército que les superaba en número.

El asedio

La escasa existencia de asentamientos permanentes y, menos aún, fortificados en la estepa hacía que los nómadas tuvieran por lo general una experiencia nula en la guerra de asedio. Esto suponía una desventaja a la hora de atacar a sus vecinos sedentarios, que siempre podían optar por refugiarse tras los muros de sus ciudades resignándose a observar cómo los nómadas arrasaban sus campos.

Durante una incursión de saqueo, el no poder tomar las ciudades amuralladas tenía como consecuencia no poder acceder a las riquezas que se acumulaban en ellas, pero era durante las guerras de conquista cuando esta carencia se hacía más evidente, ya que era muy peligroso dejar ciudades sin conquistar a la retaguardia de su avance.

Ante esta situación, los nómadas solo podían aspirar a capturar ciudades fortificadas mediante un ataque por sorpresa, difícil de llevar a cabo incluso para sus veloces ejércitos, gracias a un traidor que les ayudara desde el interior de la ciudad, situación poco corriente, o a través de un bloqueo que la rindiera por hambre, atándose durante semanas o meses a la ciudad asediada y renunciando a una de sus mejores bazas: la velocidad.

La solución más efectiva a esta debilidad era la utilización de ingenieros procedentes de los estados sedentarios, muchas veces de los mismos a los que atacaban, para que manejasen las máquinas de asedio con las que abrir brecha en las murallas y enseñasen a los nómadas las técnicas poliorcéticas de asedio y asalto de una ciudad.

En este campo, los mongoles demostraron una singular capacidad para adaptarse y superar sus limitaciones. Durante su primer intento de conquista de un estado sedentario, Xi Xia, durante los años 1205-

LAS MUJERES GUERRERAS NÓMADAS Y EL MITO DE LAS AMAZONAS

Las fuentes griegas antiguas, tanto mitológicas como históricas, hacen referencia a un pueblo de mujeres guerreras que vivían en los confines del mundo conocido, se organizaban en una sociedad sin hombres y eran conocidas como amazonas. Hoy en día se interpretan estas noticias, especialmente las que provienen de obras mitológicas, como una inversión simbólica de la sociedad griega. Una especie de «mundo al revés» imaginario en el que el poder lo detentaban las mujeres. Pero algunos detalles del mito estarían basados en hechos reales. La mayoría de versiones de dicho mito sitúan a las amazonas a orillas del mar Negro, o lo que es lo mismo, en las estepas occidentales, y destacan su habilidad como jinetes y arqueras. A esto hay que sumarle toda una serie de informaciones históricas sobre la existencia de mujeres guerreras entre los pueblos de pastores nómadas de época antigua: los escitas y los sármatas. Noticias similares se repiten a lo largo del tiempo y del espacio. El cronista Procopio comenta, en el siglo VI d. C., cómo, al registrar los cadáveres de guerreros sabir abatidos durante una incursión en territorio bizantino, varios resultaron ser mujeres. En el año 835 d. C., el *qaghan* del Imperio uigur regaló «siete arqueras hábiles a caballo» a un emperador chino de la dinastía Tang. También hay referencias a mujeres guerreras entre los turkmenos de Anatolia, en la actual Turquía, durante el siglo XV. Todas estas informaciones dejan claro que, al menos en ocasiones y en algunos pueblos nómadas, las mujeres podían combatir junto a los hombres.

Esta crátera de figuras rojas griega muestra una escena de combate entre griegos y amazonas. Está fechada hacia el 440 a. C. y se halla en el Museo Arqueológico Nacional, en Madrid.

1209, fueron conscientes de sus problemas para tomar ciudades amuralladas. Por eso, desde el comienzo de la campaña para someter a la china Kin, año 1211, adoptaron una política sistemática de utilización de ingenieros chinos que normalmente eran prisioneros forzados.

Esta rápida adopción del arte poliorcético chino convirtió a los mongoles en unos nómadas dotados de una excepcional capacidad para tomar ciudades, hecho que facilitó enormemente sus posteriores conquistas, especialmente en Jorasmia, Rusia y la propia China.

LA CONCEPCIÓN NÓMADA DE LA GUERRA

En el capítulo anterior vimos como ha existido un alto grado de continuidad cultural entre los diferentes grupos de pastores nómadas durante casi tres mil años. Esta continuidad no se ha limitado a la manera de criar a los animales o de combinar los diferentes tipos de pastos. También puede apreciarse en el armamento, las tácticas o las prácticas guerreras, de manera que puede hablarse de una manera nómada de hacer la guerra.

La primera característica importante del estilo de guerrear de los nómadas era el altísimo nivel de movilización militar que podían conseguir. En los estados sedentarios, la práctica de la guerra estaba limitada a especialistas, que podían complementarse con levas, normalmente de dudoso valor militar. Por el contrario, las sociedades de pastores nómadas presentaban un nivel de especialización laboral bajo, lo que significaba que prácticamente todos los hombres podían participar en la guerra, y, lo que es más importante, estaban cualificados para hacerlo. En este sentido, es significativo que ninguna de las lenguas turcas o mongolas tenga una palabra nativa para designar a los guerreros. Originariamente estas lenguas utilizaban la palabra «hombre», ya que todos los hombres eran guerreros. Ese nivel de movilización del que venimos hablando permitía a los pastores nómadas reducir, al menos en parte, la diferencia de tamaño de sus ejércitos comparados con los sedentarios.

Independientemente de cuál de las múltiples definiciones de guerra consideremos como la más adecuada, todas comparten una característica común: consideran la guerra como una actividad violenta. Pero el estudio de las modalidades guerreras practicadas por los diferentes grupos humanos del pasado y del presente nos proporciona una conclusión paradójica: ningún pueblo o civilización conocido ha practicado la guerra total, entendida esta como la aplicación de la violencia sin límites. Ya sea aceptando la captura de prisioneros, no considerando a los civiles como objetivo o respetando los tratados y acuerdos con el enemigo, por poner solo unos pocos ejemplos, todos los grupos humanos han puesto coto a la cantidad de fuerza que utilizaban en sus guerras. De esta manera, un método para estudiar las diferentes maneras de guerrear es comparar la importancia de los límites que cada civilización se impone a sí misma. Desde este punto de vista, los pastores nómadas euroasiáticos destacaban por las pocas restricciones que ponían en el empleo de la violencia, matando a los enemigos que intentasen rendirse, masacrando poblaciones enteras para extender el terror y rompiendo los tratados firmados sin remordimientos. Todas estas atrocidades no pueden explicarse únicamente en virtud del desprecio que sentían los nómadas hacia los estilos de vida sedentarios. Por una parte, la facilidad con que podían eludir las incursiones de los ejércitos sedentarios en la estepa les ponía a salvo de las represalias, que eran un factor que limitaba la violencia en la guerra entre las sociedades sedentarias. Además, el terror era una manera efectiva de dominar a poblaciones que les superaban ampliamente en número.

La guerra nómada también destacaba por la ausencia de ceremonias o rituales como los duelos de campeones, tan característicos entre los pueblos sedentarios. Su concepción del valor y del honor era esencialmente práctica, y nada más incomprensible para los guerreros nómadas que el sacrificio de Leónidas y sus trescientos en las Termópilas o el de la Guardia Imperial napoleónica en Waterloo. Carentes de la creencia, tan común entre los ejércitos sedentarios, de que huir ante el enemigo era una cobardía, los jinetes nómadas solo entablaban batalla en condiciones ventajosas para ellos y la abandonaban en cuanto la victoria parecía difícil o demasiado costosa. De hecho, este pragmatismo era la principal característica de la concepción nómada de la guerra. Los nómadas luchaban para vencer deprisa, completamente y sin heroicidades.

Por último, es necesario recordar que esta superioridad militar de los pastores nómadas sobre sus vecinos sedentarios no garantizaba, en modo alguno, la supervivencia de los primeros. Debido a su dependencia de los productos procedentes de las sociedades urbanas y a la inestabilidad de la economía pastoril, los pueblos de pastores nómadas podían acabar en un estado de debilidad que permitiera a sus enemigos destruirlos. Quizás el ejemplo más sobresaliente de este tipo de situaciones lo tenemos en el extremo de las estepas occidentales, donde el Rus de Kiev, un estado medieval precedente lejano de las actuales Rusia, Ucrania y Bielorusia, y los principados en los que se fragmentó, destruyeron a una serie de pueblos nómadas durante los siglos x y xi d. C. Acabaron con el Imperio jázaro, luego con los oghuz occidentales y, por último, con los pechenegos. Los siguientes nómadas en asentarse en la zona, los kipchak, solo consiguieron sobrevivir a base de integrarse en la política de los principados rus, apoyando sus diferentes grupos a las diversas facciones que peleaban por el trono de Kiev.

3

Un fugitivo llamado Temujin: la juventud de Gengis Kan

Los dos primeros capítulos nos han proporcionado un marco teórico en el que contextualizar a los mongoles y a Gengis Kan pero, para que este panorama sea completo, es necesario repasar, aunque sea de forma breve, la historia de los imperios nómadas que les precedieron, poniendo un énfasis especial en las relaciones de estos con China.

LOS PRIMEROS IMPERIOS DE LA ESTEPA

Habíamos dejado en el capítulo 1 a los primeros nómadas apareciendo en el norte de China en el siglo IV a. C., en el momento en que las fuentes chinas califican a todos los grupos de nómadas de la estepa como *hu*, que significa 'bárbaros del norte'. A finales del siglo siguiente, la información de las fuentes chinas ha mejorado y dividen a los nómadas en tres grupos: en la estepa del este de Mongolia se encontraban los yuezhi, en la estepa del Ordos los xiong-nu y en el oeste los dong-hu. Aunque los xiong-nu eran los más débiles de los tres, fueron los primeros en crear un imperio en la estepa.

Su expansión comenzó durante el reinado del *shanyu* (rey) Tumen, pero fue su hijo Maodun quien obtuvo el control de toda la estepa mongola. Este llegó al poder tras asesinar a su padre el año 209 a. C. y rechazó con éxito una invasión a gran escala dirigida por el emperador chino en persona, al que asedió en la ciudad fronteriza de Pingxiang y que escapó por poco de ser capturado. En el 206 a. C. derrotó a los dong-hu, que emigraron a Manchuria y que fueron incorporados al Imperio y obligados a pagar tributos. En el año 200 a. C. atacó y derrotó a los nómadas yuez-hi, desplazándolos a la franja de territorio que comunica el oeste de China con la cuenca del Tarim y que se conoce como Gansu. Teniendo asegurado el control sobre toda la estepa mongola, el *shanyu* Maodun atacó el norte de China, forzando a la dinastía Han a firmar, en el año 198 a. C., un acuerdo por el cual entregaban presentes y la mano de una princesa china a los xiong-nu, a cambio del cese de los ataques nómadas, y que se conoce como Tratado Hochin. Durante más de veinte años, Maodun alternó ataques y ofertas de paz para forzar a los Han a firmar nuevos acuerdos Hochin, cada uno de los cuales garantizaba mayores concesiones a los xiong-nu.

Tras su muerte en el año 174 a. C., sus sucesores continuaron su política de extorsión a gran escala a la China de los Han, imponiendo a esta nuevos Tratados Hochin, hasta que el volumen de los bienes enviados a la estepa fue tan alto que en el año 134 a. C. el emperador chino Wudin se arriesgó a recurrir a la guerra para librarse de esa sangría económica. Durante más de treinta años, los chinos enviaron importantes expediciones militares a la estepa sin alcanzar un resultado decisivo. En el año 101 a. C. abandonaron las operaciones ofensivas, que habían llevado al estado a la

Esta estatua china coronaba la tumba de uno de los
generales del emperador Wudi. Representa a su caballo
pisoteando a un guerrero xiong-nu. Su evidente semejanza
con algunas lápidas funerarias de soldados romanos, en las
que estos aparecen arrollando a germanos o a pictos con sus
caballos, nos recuerda que estos dos Imperios
experimentaron una fuerte hostilidad hacia
sus respectivos bárbaros.

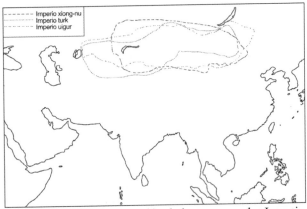

El mapa muestra la extensión de los tres grandes Imperios creados por pastores nómadas con anterioridad al mongol. Tras el final del Imperio uigur en el 840 d. C., la estepa no volvió a ser unificada durante más de tres siglos y medio hasta Gengis Kan.

bancarrota, y adoptaron una estrategia defensiva atrincherándose tras la Gran Muralla. Por su parte, los xiong-nu habían conseguido resistir todo ese tiempo, pero la falta de bienes chinos con los que sostener su Imperio, proporcionados anteriormente por el sistema Hochin y que solo podían compensar parcialmente saqueando el norte de China, comenzó a pasarles factura: a partir del 78 a. C. empezaron a tener problemas para controlar a otros pueblos nómadas sometidos a su Imperio. En el año 60 a. C. estalló una disputa por la sucesión al trono que degeneró en una guerra civil, dividiéndose el Imperio entre xiong-nu del norte y del sur, cada uno con su propio *shanyu*. Cuatro años después, el *shanyu* del sur aceptó convertirse en vasallo del emperador chino y enviarle tributos anuales. Como vimos en el capítulo 1, los «regalos» de agradecimiento que daban los chinos superaban con creces el valor de los «tributos» ofrecidos por los nómadas y, en la práctica, el sistema funcionaba como los viejos tratados Hochin, con la salvedad de que permitía guardar las apariencias a la casa imperial china. Con el respaldo económico chino, el *shanyu* del sur derrotó a su rival del norte y reunificó el Imperio xiong-nu.

El nuevo sistema de tributos mantuvo la paz entre chinos y nómadas durante más de sesenta años, pero en el 11 d. C. el emperador chino Wang Mang intentó dividir el Imperio xiong-nu nombrando él mismo a quince nuevos *shanyus*. La estratagema no funcionó y provocó, lógicamente, una nueva guerra con el Imperio nómada. Esta se prolongaba sin un vencedor claro cuando en el año 47 d. C. un nuevo conflicto sucesorio provocó una segunda guerra civil entre los xiong-nu. El Imperio volvió a dividirse entre los xiong-nu del norte y del sur. Como en la guerra civil anterior, el *shanyu* del sur se convirtió en vasallo del emperador Han y varias tribus incluso buscaron refugio dentro de la propia China. Entre los años 87 y 91 d. C. los xiong-nu del norte sufrieron una serie de derrotas a manos de los Han y de un pueblo nómada que había formado parte de su Imperio, los xiambei, que acabaron con su capacidad para controlar la estepa. Continuaron existiendo como entidad política hasta el año 155 d. C., cuando los xiambei los destruyeron definitivamente.

Los xiong-nu del sur se dividieron en varios reinos situados al norte de China y siguieron siendo un factor político importante en la zona durante un par de siglos más. La principal consecuencia de la desaparición del Imperio xiong-nu fue la fragmentación política de la estepa, ya que los xiambei que lo habían destruido eran una confederación con un nivel de liderazgo supratribal muy débil y no estaban en condiciones de controlarla por completo.

Esta división duró trescientos años, durante los cuales la propia China se desmembró en innumerables reinos y dinastías. Aprovechando esta situación, varios pueblos bárbaros, la mayoría procedentes de Man-churia, se asentaron en el norte de China. Entre ellos destacan los tabghatch, conocidos en las fuentes chinas como toba, que fundaron la dinastía de los Wei del norte, unificando la mayor parte del norte de China a finales del siglo IV d. C.

Esto facilitó la aparición de un segundo Imperio nómada, el de los ruanruan, que se extendió por Mongolia y por el Turkestán oriental, en el actual Xinjiang chino, a principios del siglo V d. C. El control que estos ejercieron sobre la estepa fue intermitente, ya que los Wei del norte se negaron a organizar nueva-mente la vieja farsa del sistema tributario de los Han, con su intercambio de «tributos» y «regalos», y además practicaron una agresiva política de incursio-nes en la estepa. La debilidad del Imperio ruanruan es patente en las dificultades que tuvo para controlar a otros nómadas vasallos y especialmente a los gaoche, que se rebelaron periódicamente (años 508, 521 y 546 d. C.). El *qaghan* (rey) de los ruanruan ordenó a otro pueblo sometido al Imperio, los türk, a quienes los chinos denominaban tujue, sofocar la última rebelión, cosa que hicieron rápida y eficazmente. Pero cuando el jefe türk, que se llamaba Bumin, pidió como recom-pensa por sus servicios casarse con una princesa ruan-ruan, fue rechazado de manera ofensiva. Decidió vengarse en el 551 d. C. se alió con los Wei del norte y al año siguiente derrotó a los ruanruan acabando con su Imperio. La tradicional política de enfrentar a bárbaros contra bárbaros supuso, en este caso, un grave perjuicio para los chinos, ya que ayudaron a sustituir a un débil Imperio ruanruan por otro más fuerte. El nuevo Imperio türk se extendía por toda la estepa mongola y en las décadas siguientes conquistó buena parte de Asia Central, arrebatándoles la Bactriana (el norte de la actual Afganistán y el sur de lo que hoy son Uzbekistán y Tayikistán) a los heftalitas, otro pueblo nómada que desde mediados del siglo v d. C. había creado un reino en Asia Central y el norte de la India. Los türk organizaron su Imperio en dos mitades, separadas por la cordillera del Altai. En la mitad oriental residía el soberano de todo el Imperio, que siguió utilizando el título de *qaghan*. Al frente de la mitad occidental estaba el *yabgu* (literalmente, 'gobernante secundario'), que era bastante autónomo pero reconocía la autoridad suprema del *qaghan*. Gracias a la reunificación de China, brevemente durante la dinastía Sui y de manera más estable durante la dinastía Tang, los türk fueron capaces de volver a extorsionar ingentes cantidades de bienes chinos. De especial importancia fue la obtención de seda, ya que después esta era vendida a los bizantinos y persas.

La organización dual del gobierno funcionó correctamente mientras el *qaghan* y el yabgu fueron parientes cercanos, pero debido al sistema de sucesión lateral que seguían los türk, y en virtud del cual el trono no pasaba de padre a hijo, sino por todos los hermanos del *qaghan* y luego pasaba a la siguiente generación, pronto hubo un gran número de aspirantes al trono. Las disputas dinásticas culminaron el año 583 en la partición del Imperio en dos, cada uno con su propio *qaghan* al frente. El Imperio de los türk occidentales fue capaz de mantenerse independientemente e, incluso, de aumentar su territorio con la conquista del Tojarestán, que era parte de la antigua Bactriana. En el 630 la rebelión de uno de los pueblos vasallos, los karluk, destruyó su Imperio. Por su parte, el *qaghan* de los türk orientales, temeroso de las ambiciones expansionistas de los türk occidentales, se puso bajo la protección de la China de la dinastía Tang. Tras una revuelta infructuosa para escapar a su influencia, el *qaghan* oriental se convirtió oficialmente en vasallo del emperador Tang el mismo año de la destrucción del Imperio de los türk occidentales. En ese momento, en

Figura de terracota china de la dinastía Tang, datada en el siglo VIII. Representa a un jinete nómada, probablemente a un türk.

el año 630, con una mitad del Imperio original destruida y la otra sometida en vasallaje a China, parecía que los días del Imperio türk estaban acabados. Pero en el 684 el *qaghan* Elterish rompió la dependencia de los türk orientales con China y creó un segundo Imperio türk, que fue capaz de volver a extorsionar a los chinos e, incluso, de recuperar algunos territorios del antiguo Imperio occidental. En esta segunda etapa imperial los türk desarrollaron un alfabeto propio, conocido como alfabeto rúnico turco. Debieron mantener su hegemonía en la estepa luchando contra varios pueblos como los kirghiz, los karluk y los kitan, aunque fueron lo bastante fuertes como para intervenir en las disputas internas de los Tang. A partir de la tercera década del siglo VIII los problemas sucesorios volvieron a debilitarles y, en el año 744, su Imperio fue derrocado por una coalición de pueblos nómadas, formada por los basmil, los karluk y los toquz oguz.

TÜRKS Y TURCOS

En el primer capítulo comentamos la compleja relación que existe entre identidad y lengua. Por si eso no fuera suficiente, el lector moderno debe hacer frente, además, a la terminología utilizada por las diferentes disciplinas científicas que estudian los pueblos nómadas (especialmente la historia, la antropología, la arqueología y la lingüística). Todas ellas tienen una jerga propia y pueden utilizar términos diferentes para hablar de una misma realidad o los mismos términos para referirse a cosas distintas. Podemos comprender esta dificultad adicional fijándonos en el caso de los türk. Como hemos visto, este nombre aparece por primera vez ligado al grupo nómada que derrocó a los ruanruan y que estableció un Imperio en la estepa entre los siglos VI y VIII. A partir del siglo XI algunos grupos de nómadas oghuz comenzaron a llamarse a sí mismos türkmen (castellanizado 'turcomanos') y se asentaron en la península de Anatolia, primero dirigidos por el clan de los selyúcidas y después por el de los otomanos. Posteriormente, el nombre türk (castellanizado 'turco') pasó a denominar a algunos de sus descendientes.

Por otra parte, desde el punto de vista de la lingüística, las lenguas pueden agruparse, según su relación, en familias. El ejemplo que nos resulta más familiar es el de la familia de lenguas románicas, formado por las lenguas derivadas del latín (castellano, francés, italiano…). Cuando los lingüistas occidentales comenzaron a estudiar las lenguas de Asia Central las agruparon en varias familias y escogieron un nombre para cada una de ellas. De esta manera, la familia de lenguas más numerosa, la turca, recibió el nombre del primer pueblo que con seguridad habló una de sus lenguas: los türk de los siglos VI al VIII. Esta familia de lenguas turcas (o túrquicas) engloba tanto a las habladas en el pasado (como la de los türk y el uigur), como a lenguas habladas en la actualidad (el turco moderno, el kazajo o el azerí).

En resumen, desde un punto de vista histórico, el término turco, sin más puntualización, se puede referir tanto a los turcos de Asia Central de los siglos VI, VII y VIII, como a los selyúcidas, otomanos y turcos actuales, que han habitado Anatolia desde el siglo XI hasta el presente. Por otra parte, desde un punto de vista lingüístico, turco hace referencia a cualquiera de las integrantes de la familia de lenguas turcas, tanto las antiguas como las actuales. Para complicar aún más las cosas, pueden utilizarse expresiones que combinen términos históricos y lingüísticos, como en el caso de turcos kipchak, en la que kipchak es el nombre del puebio nómada que ocupó las estepas del sur de Rusia y Ucrania entre los siglos XI y XIII, y el adjetivo turco se refiere a la familia de lenguas a la que pertenece la lengua de ese pueblo.

Estos últimos eran una confederación de nueve tribus, dirigida por los uigures. Tras derrotar a los türk, sus vencedores se pelearon entre sí y los uigures expulsaron a los karluk a las estepas occidentales, fundando un nuevo Imperio. Si por algo se caracterizó este recién creado Imperio uigur, fue por su decidido apoyo militar a la consumida dinastía china de los Tang. Los uigures comprendían que si querían seguir aprovechándose de los beneficios del sistema tributario que habían «heredado» de los türk, era necesario que China se mantuviera unida bajo una misma dinastía. De esta manera enviaron tropas a China como refuerzo para los ejércitos Tang en el 757 y en el 762 para combatir la rebelión de An Lushan, como ya habíamos comentado. En el 790 no pudieron impedir que el agresivo Imperio tibetano expulsara a los Tang de los oasis de la cuenca del Tarim y se hiciera de paso con el control de la Ruta de la Seda, pero en sendas expediciones, en el 800 y el 822, ayudaron a los chinos a expulsar a los tibetanos y a recuperar los oasis comerciales.

A partir del 820 las intrigas dinásticas, casi inexistentes anteriormente, y las rebeliones debilitaron el Imperio uigur. El año 839 fue particularmente desastroso, ya que el *qaghan* murió luchando contra los nómadas shato, que estaban bajo la protección de China, y unas nevadas inusualmente duras mataron a buena parte de su ganado. Al año siguiente los kirghiz atacaron y saquearon Karabalghasun, la capital del Imperio. La nobleza uigur abandonó la estepa creando varios reinos en el Gansu y en la cuenca del Tarim. Los uigures se distinguieron por adoptar la cultura irania de los mercaderes sogdianos, que integraron en su Imperio, desarrollando un alfabeto propio y un enorme interés por el comercio.

Por su parte, los kirguises eran una confederación tribal bastante simple y no tuvieron ninguna intención de establecer un imperio propio. Tras el saqueo de

Ilustración de un manuscrito budista uigur, de los siglos XIII-XIV. Encontrado en uno de los oasis del Turfán, en el Turquestán Oriental (la actual región china del Xinjiang). El establecimiento de un reino uigur en esta zona, tras la desaparición del Imperio, permitió el florecimiento de su cultura. Gracias al clima desértico de la zona, muchos de estos manuscritos se han conservado sorprendentemente intactos.

Karabalghasun, volvieron a su territorio en el sur de Siberia cargados de botín y prisioneros y dejaron la estepa sumida en un caos del que no saldría hasta trescientos cincuenta años después, al ser unificada por Gengis Kan.

Los Imperios xiong-nu, türk y uigur fueron confederaciones imperiales que combinaron una organización estatal y autocrática para la guerra y para las relaciones exteriores con una federal y tribal para la política interna. Aunque practicaron el comercio con diferentes intensidades, su objetivo último era chantajear al gobierno chino para obtener bienes de lujo y acceso a los mercados fronterizos donde conseguir productos agrícolas. Por eso nunca intentaron conquistar China, aunque saquearon innumerables veces su frontera norte para forzar la firma de tratados, ya fueran los Hochin o los de los varios sistemas tributarios.

INSECTOS MOLESTOS, GUSANOS REPTANTES Y BÁRBAROS CRUDOS Y COCIDOS

Las relaciones entre los diferentes grupos de nómadas de la estepa y los chinos fueron por regla general bastante difíciles. Además de tener que soportar unas extorsiones constantes por parte de los nómadas y sus razias fronterizas, estos representaban un problema añadido para los chinos, ya que su resistencia a adoptar la cultura y el estilo de vida chino ponían en entredicho el presupuesto fundamental de que su civilización era superior a las otras. Todo esto explica la hostilidad con que las fuentes chinas describen a los nómadas. Antes del Imperio türk y su escritura rúnica, dependemos de los textos chinos para conocer el nombre de los pueblos nómadas y con frecuencia estos no recogen el verdadero nombre de los pueblos, sino el mote que les ponían los chinos, a menudo ofensivo. Por poner un ejemplo clarificador, las dos traducciones que se proponen para el nombre ruanruan son 'insectos molestos' y 'gusanos reptantes'. En cualquier caso, los chinos eran conscientes de que no todos los nómadas eran iguales y de que la estepa era inmensa. Sabían que en ella habitaban grupos cercanos a sus fronteras más influidos por la cultura china, a los que llamaban 'bárbaros cocidos', y que más allá de estos, en la estepa profunda, habitaban grupos sobre los que no habían ejercido ninguna influencia a los que calificaban de 'bárbaros crudos'.

LA ESTEPA EN LA SEGUNDA MITAD DEL SIGLO XII

La dinastía china de los Tang no sobrevivió mucho a la desaparición del Imperio uigur. En los dos siglos siguientes a la caída de los Tang (año 907), China se desmembró en varios estados y el norte del Imperio fue ocupado por pueblos bárbaros. Estos crearon reinos que combinaban una administración china para la mayoría de la población con otra diferente para los conquistadores. Pese a que ninguno de estos pueblos, tangut, kitan y yurchen, era de pastores nómadas, fueron capaces de controlar el sur de la estepa mongola. Es imposible seguir en detalle la evolución política de los grupos nómadas durante estos siglos, pero a partir del siglo XII mejoran nuestras fuentes y podemos presentar una visión, aunque esquemática, de la situación en la estepa.

Desde la caída del Imperio uigur ningún pueblo había sido capaz de imponer su hegemonía en toda la estepa mongola. En ella habitaban innumerables grupos de pastores nómadas, pero tres de ellos habían conseguido imponerse localmente.

Mongolia occidental estaba bajo el control de los naiman, la mayoría de los cuales hablaban turco, aunque una minoría hablaba la lengua mongol. Estaban situados en el territorio comprendido entre el río Irtysh Negro y el Orjon, y los montes Altai y Jangai. La Mongolia central estaba ocupada por los kereyit, sobre los que no hay consenso sobre si hablaban mayoritariamente una lengua turca o mongola, aunque es posible que su origen fuese el resultado de la unión de un grupo de kirguises con la minoría de kitan que permanecieron en la estepa tras su conquista de parte del norte de China en el siglo X. Sus pastos se extendían entre el curso de Orjon y el de los ríos Onon y Kerulen. Tenían una fuerte rivalidad tanto contra los naiman como contra los tatar. Estos últimos ocupaban parte de Mongolia oriental, en su mayoría hablaban mongol y habitaban las tierras al sur del lago Buir. Los tatar mantenían con los yurchen las típicas relaciones nómadas-chinos, y alternaban el envío de tributos con razias contra sus fronteras.

Además de estos grandes grupos, había otros más pequeños, como los ongut, ongirat y los mongoles. Al

El mapa muestra los tres estados que ocupaban el territorio del antiguo Imperio Tang y la situación aproximada de los pueblos de pastores nómadas más importantes de la estepa.

norte y al este de Mongolia, en las actuales Siberia y Manchuria, ya fuera de la estepa, habitaban toda una serie de pueblos dedicados a la caza y la pesca en los bosques, como los oirat y los merkit, que a menudo tenían relaciones hostiles con los pastores nómadas.

Este no es el lugar para analizar en detalle lo poco que sabemos sobre la aparición de todos estos pueblos nómadas, pero es evidente que vale la pena hacer una excepción en el caso de los mongoles. Las fuentes históricas chinas de la dinastía Tang (siglos VIII-IX) mencionan a un grupo de bárbaros que habitaba en los bosques del norte de Manchuria, en la cuenca del río Amur, llamándolos mengwu, mongwa y mongwou y, al menos, una de estas fuentes los considera como parte de los tatar. Estos posibles antepasados de los mongoles se habrían desplazado a Mongolia oriental durante los siglos X y XI, habrían abandonado la caza y adoptado el pastoreo nómada como modo de vida.

A finales del siglo XI habitaban la estepa arbolada, entre los ríos Onon y Kerulen, una serie de clanes nómadas que se consideraban a sí mismos mongoles y constituían un grupo diferenciado de los tatar, pero que no acompañaban esa incipiente identidad común con una única confederación tribal que los agrupase políticamente. A principios del siglo siguiente, un jefe llamado Kaidu habría unificado a una parte de estos mongoles, pero no a todos, adoptando el título de *jan* (forma abreviada del antiguo *qaghan*). La existencia histórica de Kaidu no es segura, pero sí lo es la de su sucesor, su nieto Kabul, que entró en guerra con el reino de los yurchen del norte de China y, tras varios años de luchas, consiguió obligarles a firmar un tratado en 1147 por el cual los yurchen proporcionarían bienes a sus mongoles. Kabul fue sucedido por Ambaqai, su primo. Este fue capturado a traición por un grupo tatar, que lo entregó a los yurchen, los cuales lo ejecutaron de forma ignominiosa. El sucesor de Ambaqai fue un hijo de Kabul llamado Kutula, que se lanzó inmediatamente a una campaña de ataques contra los tatar buscando venganza. Pero Kutula, tras varios años de enfrentamientos indecisos, fue derrotado rotundamente a orillas del lago Buir por una alianza de los tatar y los yurchen, a principios de los años sesenta del siglo XII. Esta derrota significó el fin de la confederación tribal y los diferentes clanes mongoles se dispersaron, entrando algunos de ellos en la órbita de pueblos más poderosos como los merkit e incluso los mismísimos tatar.

Globalmente, el siglo XII puede verse como un periodo de intensas luchas en la estepa y se ha propuesto que estos enfrentamientos podrían haber ido más allá de las endémicas escaramuzas entre nómadas. Dos factores explican el especial ensañamiento de las luchas durante este periodo. El primero sería un factor climatológico, ya que un clima más seco, combinado con un crecimiento de la población total de los diversos grupos nómadas, habría alterado el delicado equilibrio entre la productividad de los pastos, el número de cabezas de ganado y el tamaño de la población. En este sentido, es significativo que los mongoles, en su tratado con los yurchen del año 1147, negociaran no solo el envío de productos agrícolas, que, como vimos en el capítulo 1, no podían obtener por sí mismos, sino también el de vacas y ovejas, que no deberían haberles faltado en condiciones normales. El segundo motivo es político. Parte de estas luchas estarían provocadas por el deseo de varios grupos de reunificar la estepa pero, como ninguno tenía la fuerza necesaria para conseguirlo, la situación estaba estancada.

La sociedad mongola presentaba durante este periodo un aspecto contradictorio; por una parte, como en la mayoría de sociedades nómadas, no había grandes diferencias de riqueza y de poder en su seno, pero por la otra esta situación de relativa igualdad comenzaba a resquebrajarse con la aparición de un grupo de familias que podríamos calificar de aristocráticas. La pirámide social mongola era bastante simple, la mayoría de los mongoles, denominados *arat*, eran hombres libres. Integrados en el sistema tribal debían una obediencia muy limitada a los jefes de los clanes y tribus. Por encima de ellos había una minoría de familias nobles, los *noyan*. Su poder era bastante reducido y se centraba sobre todo en la dirección de las migraciones, el reparto de pastos y la conducción de la guerra. En la base de la pirámide se situaban los *otogu bol*, antiguos *arat* que, tras una derrota militar, habían quedado en una situación de dependencia con respecto a otros nómadas. Estos *otogu bol* tenían posesiones personales y ganado propio, pero estaban obligados a trabajar para sus vencedores, junto a los que debían acampar.

La importancia de estas divisiones se veía relativizada por dos factores: por una parte, las diferencias de riqueza entre los grupos anteriores no eran importantes y por la otra, la inestabilidad inherente a la economía de los pastores nómadas podía empobrecer rápidamente a cualquiera de sus miembros.

Estos estatus anteriores los detentaban familias y clanes al completo, pero también existía un estatus que se ejercía de manera exclusivamente individual: el del *nojor*. Este era un guerrero que entraba al servicio de un líder de éxito, especialmente en asuntos militares y que, a cambio de combatir a sus órdenes, conseguía su protección y una parte de los botines obtenidos. Aunque se trataba de una relación desigual en la que el líder estaba mejor situado que el *nojor*, este era un hombre libre que decidía a quién entregaba sus servicios y que podía abandonar a su líder en cualquier momento y sustituirlo por otro. La acumulación de *nojor* por parte de un jefe permitía la creación de séquitos militares y, lo que es más importante, la consolidación de una base de poder independiente del sistema de parentesco que regulaba la sociedad mongola.

Infancia y adolescencia de Temujin

En este convulso periodo de la historia de la estepa nació un niño que fue llamado Temujin. Su padre, Yesugei, era el jefe del clan de los kiyat, que pertenecía a la tribu mongola de los borjigin, asentada en el valle del río Onon. Su madre, Hoelun, era de los ongjirat, y Yesugei la había secuestrado poco después de su boda con un guerrero merkit. El secuestro de mujeres, incluso de mujeres ya casadas como en el caso de Hoelun, era una práctica habitual en la estepa, ya que gracias a él, el secuestrador se ahorraba pagar el «precio de la novia» a la familia de la secuestrada. Aunque nunca ostentó el título de jan ni, mucho menos, llegó a unificar todas las tribus mongolas, Yesugei debía ser un jefe competente porque se le unieron otros grupos de mongoles, entre

LA HISTORIA SECRETA DE LOS MONGOLES

Las fuentes históricas para el estudio de la vida de Gengis Kan y del Imperio por él fundado son múltiples y de procedencias muy diversas, como el *Yuanshi*, la historia oficial de la dinastía mongol en china; varias crónicas persas, entre las que destacan las de Yuvaini, Yuzyani y Rashid al-Din; y los textos escritos por diversos enviados papales ante el Gran Jan, como los de los franciscanos Piano Carpini y Willem van Ruysbroek, de los que ya habíamos hablado. Pero entre todas ellas destaca la *Historia secreta de los mongoles*. Escrita poco después de la muerte de Gengis Kan, 1228 y 1240 son las dos fechas más probables, nos relata los orígenes míticos de los mongoles, la vida del gran conquistador y parte del reinado de su sucesor, el jan Ogodei. El valor de esta obra es inmenso, ya que nos informa del punto de vista de los propios mongoles y nos permite dejar de depender en exclusiva de las fuentes históricas de los estados sedentarios, como ocurre con los imperios nómadas anteriores. Su inconveniente es que buena parte de la información que proporciona no es contrastable con otras fuentes, por lo que no puede asegurarse totalmente su fiabilidad y además, casi no proporciona indicaciones de tipo cronológico que permitan situar los acontecimientos en años concretos. En cualquier caso, la mayoría de investigadores considera que la imagen general que ofrece esta obra de la infancia y de la ascensión al poder de Gengis Kan es correcta, aunque no puedan corroborarse completamente todos los episodios y detalles particulares que en ella aparecen.

ellos parte de la tribu de los tayichiud. Además de sus habilidades personales, al ser sobrino del jan Kutula, formaba parte del linaje real mongol.

La fecha de nacimiento de su primogénito Temujin, el futuro Gengis Kan, es bastante controvertida. Diversos investigadores han propuesto varias fechas diferentes que oscilan entre el año 1155 y el 1167. Es imposible saber con seguridad cuál de ellas es la correcta y nosotros seguiremos al historiador alemán Paul Ratchnevsky, autor de la mejor biografía sobre el conquistador mongol, que considera que este debió llegar al mundo a mediados de la década del 1160. Al nacer su primogénito, Yesugei acababa de participar en un ataque contra los tatar, uno de los muchos que el jan Kutula llevó a cabo para vengar la muerte a manos de los tatar de su predecesor Ambaqai, en el que había capturado a un jefe tatar llamado Temujin, nombre que escogió para su hijo.

Sus primeros años de vida transcurrieron en los pastos de la tribu a orillas del Onon y, cuando cumplió los ocho años, su padre se lo llevó en un viaje para encontrarle mujer. Entre los nómadas era normal pactar las bodas con años de antelación y se las utilizaba para cimentar nuevas alianzas entre clanes o para reforzar las ya existentes. Yesugei tenía pensado buscar mujer para su hijo en el clan de su esposa Hoelun, pero por el camino fueron acogidos por Dei Sechen, de la tribu ongjirat, el cual acordó con Yesugei casar a Temujin con una hija suya llamada Borte. También era costumbre que la familia del novio pagara el «precio de la novia» a la familia de esta, pero como Yesugei solo dio un caballo a Dei Sechen y no era suficiente, decidieron que el joven Temujin se quedaría trabajando en la unidad doméstica de su futuro suegro para completar el precio.

Durante el viaje de vuelta, Yesugei encontró celebrando un banquete a un grupo de tatar, enemigos acérrimos de los mongoles y contra los que había combatido en varias ocasiones, y sorprendentemente decidió unírseles. Probablemente creyó que no sería

El río Onon a su paso por Mongolia. Su curso vertebraba el territorio ocupado por los mongoles. En esta parte de la estepa arbolada, con su combinación de pastos, bosquecillos y colinas, se crió Temujin, y en ella su familia y él malvivieron recolectando, cazando y pescando durante varios años.

reconocido y que, en caso de que así fuera, su condición de huésped le protegería. Yesugei se equivocó doblemente y los tatar envenenaron su comida. Moribundo consiguió llegar hasta su campamento, donde solo pudo encargar a uno de sus seguidores, llamado Monglik, que cuidara de su mujer y de sus hijos, además de que trajera de vuelta a Temujin.

Su repentina muerte dejó a sus dos viudas, ya que además de su esposa principal Hoelun, Yesugei tenía una concubina, y a sus siete hijos ante un escenario muy difícil. Ninguno de sus seis hijos varones era mayor de edad y por lo tanto no podían hacerse cargo de la jefatura del clan. Ante esta situación solo era cuestión de tiempo que el grupo nómada formado alrededor de Yesugei se desintegrase. La manera de hacer patente la nueva situación fue totalmente simbólica: Hoelun fue dejada de lado durante la celebración de un sacrificio en honor de los antepasados. Según la *Historia secreta de los mongoles*, al día siguiente los demás nómadas levantaron el campamento y abandonaron a la familia de Yesugei, pese a los intentos de Hoelun por detenerlos.

La defección de los clanes que habían aceptado el liderazgo de Yesugei es perfectamente lógica, ya que, sin este o un sustituto adecuado, no habría ni un jefe fuerte ni las ventajas asociadas a él: seguridad y la perspectiva de obtener botín a costa de otros grupos nómadas. Más difícil de entender es la «desaparición», la *Historia secreta de los mongoles* ni siquiera los menciona, del clan del padre de Temujin, los kiyat. Entre los mongoles y muchos grupos nómadas se aplicaba lo que los antropólogos llaman la Ley del Levirato, que consiste en que, tras la muerte del marido, su viuda se case con otro miembro del clan, normalmente un hermano del difunto pero a veces también un hijo de este y otra esposa, que se hacía cargo de su familia. En este caso o bien los dos hermanos de Yesugei faltaron a su obligación, o bien Hoelun rechazó el matrimonio y prefirió ocuparse del grupo familiar en solitario.

Los siguientes años fueron de una gran dureza para todos los miembros de la familia de Hoelun. Parece ser que los antiguos seguidores de Yesugei se habían llevado con ellos todo el ganado, aunque les habían dejado nueve caballos, obligándolos de esta manera a sobrevivir de la recolección de frutos y raíces y, en cuanto los niños fueron capaces de empuñar un arco, de la caza. De esta manera habían dejado de ser pastores nómadas y habían caído al nivel más bajo de la vida en la estepa.

No sabemos exactamente cuántos años vivieron de esta manera pero, conforme los hijos de Yesugei crecieron, se debió gestar entre ellos un conflicto que culminó con el asesinato, por parte de Temujin y su hermano Qasar, de su hermanastro Bekter, hijo de Yesugei y de su concubina. Según la *Historia secreta de los mongoles*, el motivo fue el robo de un gorrión y de un pescado y algunos autores interpretan esto como una prueba de las precarias condiciones de vida de la familia. Otros creen que Temujin decidió eliminar a un futuro rival en la lucha por unificar a los mongoles, pero la interpretación más sugerente propone que Bekter sería algo mayor que Temujin y estaría a punto de llegar a la mayoría de edad, que entre los mongoles se alcanzaba a los quince años. En ese momento podría casarse con Hoelun en virtud del Levirato y convertirse en el cabeza de familia, pese a que Temujin era el primogénito de Yesugei y de su esposa principal. Ante la posibilidad de quedar arrinconado, Temujin habría utilizado los pequeños hurtos como pretexto para eliminar a Bekter y asegurar su futura posición como cabeza de familia.

Tiempo después, unos guerreros tayichiud atacaron el campamento de la familia y, tras una persecución a caballo, capturaron a Temujin. Tampoco en este caso conocemos el motivo del secuestro, aunque es posible que los tayichiud hubieran abandonado a Hoelun y a los suyos convencidos de que no sobrevivirían solos en la dura estepa, y, como Temujin se acercaba a la mayoría de edad, estuvieran preocupados por la existencia de un heredero de Yesugei. En cualquier caso, los tayichiud, una vez con Temujin en su poder, lo cambiaban de campamento cada noche. Un día que estaba en un campamento en el que se celebraba una fiesta, aprovechó para golpear a su joven guardián y refugiarse en el lecho del cercano río Onon. Sus posibilidades de huir a pie a través de la estepa eran muy reducidas, pero gracias a la ayuda de Sorqan Shira, que no era un tayichiud sino uno de sus dependientes, consiguió un caballo, comida y un arco, que le permitieron regresar con los suyos. En este episodio de su vida aparece por primera vez una característica del carácter de Gengis Kan que probablemente fue una de las claves de su éxito político: la capacidad de impresionar y atraer a los que le rodeaban que podríamos llamar carisma. Este carisma hizo que Sorqan Shira y sus dos hijos arriesgaran sus vidas para ayudar a un huérfano empobrecido que no podía recompensarles de ninguna manera.

Los primeros pasos de un líder

Seguimos dependiendo casi en exclusiva de la *Historia secreta de los mongoles*, y de sus escasas referencias cronológicas, para conocer el inicio de la carrera «política» de Gengis Kan. En ella se nos cuenta una anécdota que, independientemente de su veracidad, ilustra el comienzo del proceso por el cual Temujin se hizo con un grupo de seguidores. Un día unos ladrones robaron ocho de los nueve caballos de la familia, sin duda su posesión más preciada, y el joven Temujin los persiguió con el caballo restante. Mientras seguía el rastro de los ladrones se encontró con un joven llamado Boorchu que ordeñaba una yegua y que, tras oír su historia, se ofreció a acompañarle. Con su ayuda pudo recuperar los caballos y regresar de vuelta a su campamento. Más aún, la aventura forjó un vínculo entre los dos jóvenes que haría que en poco tiempo Boorchu abandonase a su familia para convertirse en seguidor, *nojor*, de Temujin.

Finalmente, llegó el día en que Temujin alcanzó la mayoría de edad y como nuevo cabeza de familia decidió que ya era hora de casarse. Recordando el matrimonio acordado por su padre, visitó a Dei Sechen, quien le entregó a su hija Borte y una capa de piel de marta cibelina negra como dote, que según la costumbre debía ser para el padre del novio. Por fuerza, el joven Temujin debió impresionar muy positivamente a su suegro, ya que, aunque la boda había sido acordada con siete años de antelación, la situación había cambiado radicalmente desde entonces. El enlace matrimonial ya no representaba para Dei Sechen la alianza con un jefe poderoso, sino con un huérfano sin recursos ni seguidores.

Tras instalar a su nueva esposa en el campamento de la familia, Temujin mandó llamar a Boorchu, que abandonó definitivamente a su familia. Acompañado por él, por su hermano Qasar y su hermanastro Belgutei, con el que tenía buena relación pese al asesinato de Bekter, se dirigió a Mongolia central, a las tierras de los kereyit. Togril, el jan de los kereyit había sido *anda* de Yesugei. Este término, que puede traducirse como 'hermano de sangre', implicaba el establecimiento de un lazo de parentesco ficticio entre dos hombres de clanes diferentes. Estos lazos se establecían en contadas ocasiones y Togril lo había hecho para agradecer a Yesugei que le ayudara a recuperar el poder, tras haber sido derrotado y exiliado por su propio tío. La argumentación que hizo Temujin ante el jan de los kereyit fue tan audaz como inteligente. Ya que él y su padre habían sido *anda*, Temujin dijo considerar a Togril como su padre y, por lo tanto, había ido a entregarle la dote de su mujer, como mandaba la costumbre. Togril aceptó el regalo y al hacerlo lo reconoció implícitamente como hijo adoptivo. Con esta brillante maniobra diplomática, Temujin estableció una relación clientelar, aunque enmascarada por la terminología del parentesco, con uno de los tres janes más poderosos de la estepa. Esta relación le proporcionaría apoyo, protección y le permitiría comenzar a ascender en la jerarquía de la estepa. Más aún, Temujin debió formalizar su vínculo con Togril como un *noyan*, reforzando su derecho a formar parte del clan real mongol y como un líder que contaba con sus propios *nojor*, Qasar, Belgutei y Boorchu y, probablemente otros, que no menciona la *Historia secreta de los mongoles*.

4

«Señor de todos los que viven en tiendas de fieltro»: la unificación de la estepa

Las poblaciones articuladas principalmente a través del parentesco suelen caracterizarse por la importancia que dan a conceptos como el honor y la venganza, que se entienden como algo colectivo y que afecta a todos los integrantes de los dos grupos implicados en un enfrentamiento. De esta manera, la obligación de reparar una ofensa a través de la venganza atañe a toda la comunidad y puede transmitirse de una generación a la siguiente. Asimismo, es frecuente el concepto de venganza simétrica en la que esta no se ejerce contra el agresor directamente, sino que intenta infligirle el mismo daño que ha provocado. Por poner un ejemplo, el hermano de un asesinado podría vengarse matando, no al asesino, sino al hermano de este.

Algo así es lo que le sucedió al joven Temujin. Tras muchos años de sufrimientos y miserias su suerte parecía haber cambiado. Había podido consumar el matrimonio acordado años atrás y la dote recibida, junto a su habilidad y carisma, le habían permitido establecer una relación clientelar con uno de los janes más poderosos de la estepa. Pero su fortuna volvió a empeorar inesperadamente y Temujin se vio atrapado, en cierta manera, por los fantasmas del pasado. Como vimos en su momento, Yesugei, su padre, había conseguido a su mujer principal, Hoelun, secuestrándola de manos del marido de esta, un guerrero merkit. Cuando corrió por la estepa la noticia de la boda de Temujin, tanto el afrentado como el ofensor llevaban años muertos pero en un mundo tribal, eso no era motivo suficiente para olvidar el asunto, así que los merkit decidieron secuestrar a Bortre y entregársela al hermano del primer marido de Hoelun. Una de sus partidas de guerra, compuesta significativamente por miembros de las tres tribus merkit, atacó por sorpresa el campamento de Temujin, pero sus habitantes tuvieron tiempo de huir alertados por una vieja sirvienta. Según la *Historia secreta de los mongoles* no había caballos para todos y tuvieron que dejar atrás a Bortre, que fue capturada por los atacantes, aunque lo más probable es que Temujin decidiera dejarla atrás en calidad de botín que satisficiera a los merkit y los hiciera desistir de continuar la persecución. Por sorprendente que pueda parecernos desde la óptica actual, este abandono hay que entenderlo desde el profundo pragmatismo de los nómadas. Si Temujin y sus hermanos hubiesen intentado luchar contra los atacantes hubieran muerto y Bortre hubiera sido secuestrada igualmente, pero vivo, aunque huido, Temujin podía intentar recuperarla.

Aprovechándose de las ventajas que su reciente incorporación a una red clientelar le ofrecían, Temujin solicitó la ayuda de su patrón Togril, jan de la confederación kereyit. Este decidió responder a la petición de su cliente, probablemente no por cumplir con su obligación, sino porque le proporcionaba un pretexto excelente para justificar un ataque que ya quería llevar a cabo. Tras recabar la colaboración de otro jefe mongol cliente de Togril, llamado Jamuka, sus fuerzas combinadas atacaron por sorpresa el campamento de Toqtoa,

Este pequeño campamento mongol de nuestros días presenta un aspecto muy similar al que debió tener el de Temujin durante la época del secuestro de Bortre, con su puñado de *ger* abrigadas junto a la ladera de una montaña.

el jefe merkit que había dirigido el ataque, infligiéndole un fuerte descalabro y rescatando a Bortre. En una secuencia que se repetiría en el futuro, la derrota no fue definitiva y Toqtoa pudo escapar con parte de su gente, lo que le permitiría volver a combatir a Temujin años después.

EL ENFRENTAMIENTO CON JAMUKA

Tras el ataque a los merkit, que se produjo probablemente el año 1184, Temujin había participado por primera vez en una gran expedición militar y había conseguido aumentar su prestigio gracias a la victoria y mejorar su situación con su parte del botín, pero la consecuencia más trascendental que tuvo el rescate de Bortre fue volver a poner en contacto a Temujin con Jamuka. Este era el jefe de la tribu mongola de los jadarat, había sido el mejor amigo de la infancia de Temujin y también pertenecía al linaje real mongol. A partir de este momento el pequeño campamento de

Temujin se unió al de Jamuka y nomadearon juntos. Al principio la relación entre los dos fue excelente y renovaron el juramento de *anda* que habían hecho cuando ambos eran unos niños. Pero pronto sus respectivas ambiciones políticas los enfrentaron. Jamuka aspiraba a reunificar las tribus mongolas y a convertirse en el jan de la confederación tribal. Probablemente creyó haber encontrado en Temujin a su lugarteniente de confianza e, incluso, puede que pensara que este se había convertido en uno de sus *nojor*. Pero Temujin, aunque recién salido de la miseria, tenía un pedigrí y una ambición igual o mayor a la del propio Jamuka y no estaba dispuesto a ser el segundo de nadie. Tras un año y medio juntos, optó por separarse del grupo de su *anda* y volver a nomadear de manera independiente.

Si Jamuka se sorprendió por esta decisión, más debió hacerlo al descubrir que un número significativo de sus *nojor* y dependientes habían decidido abandonarle y unirse al grupo de Temujin. Esta decisión marcó un punto de inflexión en la vida del conquistador mongol, con ella declaró de manera indirecta su aspiración de ser jan de los mongoles y se convirtió automáticamente en adversario de Jamuka. En ese momento, probablemente el año 1185, ninguno de los dos *anda* lo sabía, pero acababa de iniciarse un conflicto que los enfrentaría durante veinte años por la jefatura de los mongoles y que solo terminaría con la muerte de uno de los dos.

La *Historia secreta de los mongoles* enumera a cincuenta individuos, procedentes de más de una quincena de linajes y clanes, que escogieron libremente seguir a Temujin. Varios de estos se unieron con sus campamentos y sus seguidores y dependientes, así que el joven líder se encontró al frente de un séquito de varios centenares de personas. Ningún clan ni tribu se le había unido en bloque, sino que la gente lo había hecho de manera individual o en grupos pequeños. Con la

ANDA: LOS HERMANOS DE SANGRE

Las sociedades cimentadas en relaciones familiares suelen desarrollar mecanismos basados en la creación de parentescos ficticios, que permitan a sus miembros mantener lazos estables con personas ajenas a su clan o tribu, como por ejemplo la adopción. En el caso de los mongoles medievales el sistema más utilizado era el de los *anda*, término que podríamos traducir como 'hermanos de sangre'. Dos personas, a menudo jefes de clan o aristócratas, se convertían en hermanos tras realizar un ritual. Este solía consistir en mezclar un poco de sangre de los dos participantes en un cuenco, que estos bebían a continuación y en intercambiar regalos. Como para los mongoles el alma residía en la sangre, a través de este ritual, los *anda* compartían su misma esencia y se creía que estaban unidos por un vínculo más fuerte que el de los hermanos biológicos.

excepción de dos nobles miembros del clan de Temujin, el de los kiyat, los aristócratas que acompañaban a Jamuka permanecieron junto a este último. En cambio muchos *arat* y *otogus bol* optaron por cambiar de líder.

Hasta este momento podemos reconstruir la carrera de Temujin, si no con una certeza absoluta, sí con un aceptable nivel de probabilidad, pero para los siguientes diez años la situación se complica enormemente. Los diferentes autores han formulado varias propuestas que ordenan cronológicamente la confusa información que nos proporcionan las fuentes, pero ninguna de ellas resulta totalmente convincente. La opción más realista es presentar los acontecimientos que sucedieron durante este periodo, pero reconocer que no hay manera de saber la secuencia en que ocurrieron. Sobre lo que sí hay un consenso general es respecto a que nuestra principal fuente, la *Historia secreta de los mongoles*, presenta una o varias lagunas de información para esta década. En cualquier caso durante este periodo se produjo el enfrentamiento armado entre Temujin y Jamuka, pero pese a que la victoria se decantaría claramente del lado del segundo, la cruel ejecución de varios prisioneros y la habilidad política de Temujin permitirían a este seguir vivo políticamente e incluso provocaría que algunos de los seguidores de Jamuka cambiaran de bando. Paul Rachtnevsky ha propuesto que, tras esta derrota, Temujin se habría exiliado fuera de la estepa, probablemente acogido por los Jin y aunque su teoría tiene la virtud de explicar la omisión de varios años de la vida del conquistador mongol también presenta problemas, especialmente la pregunta de por qué Jamuka habría sido incapaz de unificar a los mongoles durante todos esos años aprovechando la ausencia de su principal rival.

Durante este lapso de tiempo también se produciría la elección de Temujin como jan de los mongoles, hecho que los diversos autores fechan entre los años 1185 y 1197. Aparentemente por iniciativa propia, un grupo de nobles propuso a Temujin ser elegido jan de los mongoles (la *Historia secreta de los mongoles* afirma que es entonces cuando le nombraron Gengis Kan, pero es un error ya que Temujin no recibió ese título hasta el año 1206). Su elección resulta sorprendente ya que varios de sus «promotores» descendían de algún jan anterior y, por lo tanto, podrían haber aspirado a ese mismo puesto. Realmente desconocemos los entresijos de la elección como jan de Temujin, pero es probable que estos nobles le escogieran para evitar que Jamuka se hiciera con el título y que además creyeran que podrían controlarlo a su antojo. Si fue así, cometieron un terrible error de apreciación. En cualquier caso, este título representó una mejora más simbólica que real para Temujin, ya que muchas tribus mongolas seguían sin reconocer su liderazgo.

Igualmente, en algún momento de esta década oscura, Togril habría sido depuesto como jan de los kereyit y obligado a huir. El suceso es verosímil ya que su ascenso al poder había sido especialmente truculento, pues había asesinado a dos de sus hermanos y combatido contra uno de sus tíos, y sus últimos años de vida también estarían marcados por las disputas familiares. Tras vagar por la estepa, Togril se refugió con Temujin, el cual le proporcionó guerreros con los que pudo recuperar su trono. Aunque no había hecho más que cumplir con sus obligaciones como cliente de Togril, es probable que este hecho alterase el equilibrio de fuerzas entre los dos.

También queda claro que durante estos años mejoró la situación de Temujin y que pasó de ser un joven e inexperto jefe menor al frente de unos centenares de personas, a acumular una base de poder importante compuesta por varias decenas de miles de seguidores, con lo que ganó progresivamente protagonismo en el panorama político de la estepa. Los detalles de este proceso, lamentablemente, se nos escapan.

Un jefe importante

A partir del año 1197 disponemos de una sucesión de eventos y una cronología mínimamente coherente. Ese año, y lo sabemos con seguridad ya que aparece reflejado en las fiables crónicas chinas, el gobierno de la dinastía Jin decidió atacar y destruir a uno de los grupos tatar, en la línea de la tradicional política de intervención china en los asuntos de la estepa. Además de enviar una expedición de sus propias tropas, buscaron la colaboración de otros nómadas y en concreto de Togril y sus kereyit. Este convocó a sus clientes entre los que, por supuesto, se encontraba Temujin. El ataque fue un éxito y los Jin recompensaron a Togril con la concesión de un título chino, el de *wang*, que quería decir 'rey'. Desde este momento el líder kereyit fue conocido por la versión mongola de su título chino, Ong Jan, que es el que utilizaremos a partir de ahora. Temujin también fue recompensado pero con un título menor, el de *chaut-quri*, que puede traducirse como 'guardián de la frontera'.

Tras este éxito, Temujin decidió solucionar un problema que se había ido gestando los meses anteriores. Los yurkin eran una tribu mongola cuyos líderes le habían prestado apoyo. De hecho los jefes yurkin habían participado en su elección como jan. Pero se habían producido varios incidentes, robos y peleas, que habían complicado su relación con Temujin. Al organizarse el ataque contra los tatar, Temujin había mandado llamar a sus clientes de la misma manera que Ong Jan le había llamado a él. Pero los yurkin no aparecieron. Su ausencia agotó la paciencia de Temujin que decidió utilizarlos para dar un escarmiento. Los atacó por sorpresa y los derrotó, y en una demostración de fuerza ejecutó a los nobles y distribuyó al resto de los yurkin entre sus propios partidarios. Pero en vez de repartirlos en condición de *otogus bol*, como dependientes subordinados, los integró en los clanes y linajes que le apoyaban como miembros de pleno derecho. En palabras del desconocido autor de la *Historia secreta de los mongoles*, «(…) los sojuzgó y sus gentes pasaron a formar parte de sus propias gentes». Temujin recurriría a este procedimiento de manera sistemática en el futuro, lo que le permitiría aumentar su base de partidarios.

El distanciamiento con Ong Jan

Al año siguiente aparecieron los primeros indicios de desavenencias entre Ong Jan y Temujin, ya que el primero organizó un ataque contra los merkit sin contar con el segundo, y lo privó, de esta manera, del prestigio de participar en un ataque exitoso y de su parte del botín obtenido. Si Temujin se sintió ofendido por haber sido dejado de lado, no lo hizo público y la siguiente temporada de guerra, durante el año 1199, vio como Ong Jan y Temujin actuaban nuevamente juntos. Tras la muerte del jan naiman su confederación tribal se había dividido en dos mitades, cada una de ellas lideradas por uno de sus hijos. Los kereyit aprovecharon la situación para atacar a Buiruk, el más débil de los dos. Este optó por no presentar batalla y huir, pero la llegada de un segundo ejército naiman complicó la situación de los perseguidores. Llegados a este punto, la *Historia secreta de los mongoles* afirma que, aprovechando la noche, Ong Jan abandonó a traición a Temujin y lo dejó solo frente a los naiman. La treta fracasó cuando Temujin también optó por retirarse y los naiman decidieron no perseguirle a él, sino a Ong Jan, al que atraparon y derrotaron. Casi sin opciones el jan kereyit se vio obligado a pedir ayuda al cliente que acababa de abandonar a traición. Sorprendentemente Temujin, cumpliendo nuevamente con su papel de cliente perfecto, obvió la deslealtad de su patrón y le proporcionó tropas que permitieron a Ong Jan recuperar a los seguidores, al ganado y a su propio hijo, que habían sido capturados por los naiman.

Todo este episodio, con la inesperada huida de los kereyit y la exagerada fidelidad de Temujin, resulta bastante difícil de creer tal y como lo relata la *Historia secreta de los mongoles*, por eso se ha propuesto una ingeniosa explicación según la cual la víspera de la batalla contra los naiman el líder mongol le habría pedido a Ong Jan que le nombrara heredero al trono de la confederación kereyit y este se habría negado y lo habría abandonado frente a sus adversarios. Pero tras su derrota y a cambio de la ayuda proporcionada por Temujin, el jan kereyit se habría visto obligado a acceder a la petición de este. Las fuentes históricas no mencionan nada de todo esto, así que es imposible confirmar o rechazar esta teoría, lo que sí que es cierto es que a partir de este momento la cuestión de la sucesión al trono kereyit se convirtió en un tema candente y la relación entre los dos jefes nómadas entró en una serie de malentendidos y tensiones que los condujo al enfrentamiento directo.

La lucha con los naiman tuvo consecuencias inesperadas ya que, entre las tribus mongolas que no reconocían el liderazgo de Temujin, comenzó a extenderse la idea de que este acabaría por dominar toda la estepa occidental de Mongolia si no lo detenía alguien. La elección obvia era su viejo adversario Jamuka y en el año 1201 se reunió un *kuriltai,* en el que los líderes de trece tribus le nombraron *gurjan* o lo que es lo mismo jan universal. Avisado de la formación de esta coalición, Temujin juntó sus fuerzas con las de su todavía patrón Ong Jan. Irónicamente este debía estar tan preocupado por las ambiciones de su cliente como Jamuka y los otros jefes, pero el hecho de que estos hubiesen nombrado un *gurjan* y creado una alianza sin su consentimiento, representaba un desafío indirecto que no podía ignorar. Los dos ejércitos se enfrentaron en una extraña batalla en la que, según la explicación fantástica que nos proporciona la *Historia secreta de los mongoles*, unos chamanes naiman que acompañaban a Jamuka provocaron una tormenta mágica que debía destruir a sus enemigos, pero que escapó de su control y acabó dispersando a sus propias tropas. Lo que está claro es que la coalición anti-Temujin perdió la batalla y sus componentes se dispersaron por la estepa. Ong Jan persiguió a Jamuka mientras que Temujin se lanzó tras los tayichiud. Estos no eran unos rivales cualquiera, ya que, como vimos en su momento, le habían abandonado tras la muerte de su padre y lo habían capturado cuando era un adolescente. Consiguió atraparlos a orillas del río Onon y, tras un encarnizado enfrentamiento, capturó a la mayoría y puso en fuga al resto. A continuación Temujin ordenó asesinar a todos los varones de los linajes nobles y repartir al resto de los tayichiud entre sus seguidores. De esta manera, y en la misma zona donde había sufrido las humillaciones, el caudillo mongol consiguió vengarse de estos viejos enemigos.

En el 1202 Temujin dio un paso más en el proceso de independizarse de Ong Jan y organizó por su cuenta una expedición de la que no informó a su patrón. El objetivo eran los tatar que no habían sido destruidos por el ataque ejecutado a instancias de los Jin cinco años antes. Como paso previo a la agresión, Temujin impartió unas órdenes que nos permiten apreciar cómo fue consolidando su autoridad sobre sus partidarios y al mismo tiempo sugieren cuál pudo ser una de las claves del éxito militar mongol. Contrariamente a la costumbre nómada que consistía en que cada guerrero se quedara todo el botín del que pudiera apoderarse y que, además aceptaba que se interrumpiera la persecución de un enemigo derrotado para poder saquear mejor su campamento, Temujin ordenó que el botín sería comunitario, repartido por él mismo naturalmente y, además prohibió a sus guerreros detenerse a saquear.

La primera medida nos habla de un jefe cada vez más seguro de su situación y que no tenía miedo a tomar medidas impopulares para aumentar su poder. La segunda implica la existencia entre los mongoles de un grado de disciplina superior al de otros nómadas y permitió que estos fueran más eficaces en la persecución de enemigos derrotados. Sorprendidos por completo, los tatar fueron batidos y capturados en su mayoría. Haciendo una excepción en su política de integración de enemigos derrotados, Temujin decidió ejecutar a todos los varones tatar y no solo a los de los linajes nobles, como había hecho con los yurkin y los tayichiud. Las razones para este trato diferente fueron sin duda colectivas y personales. Colectivas porque, pese a que probablemente compartían un origen común, los tatar se habían convertido en el peor enemigo de los mongoles, especialmente desde que entregaron al jan Ambaqai a los Jin unos cuarenta años antes. Y personales porque eran tatar los que habían envenenado a Yesugei cambiando de manera radical la vida de Temujin.

El ataque demostró que las recientes medidas sobre los botines habían despertado resentimientos. Un grupo de jefes, entre los que se encontraban varios de los que le habían proclamado jan de los mongoles unos años antes, desobedecieron las órdenes de Temujin que prohibían abandonar la persecución de un enemigo derrotado y se pararon a saquear el campamento tatar. La acción era un claro desafío a la autoridad del jan y este no dudó en castigar a los culpables y les confiscó el botín conseguido. Pero estos no aceptaron la justicia del correctivo; como ya comentamos anteriormente, puede que creyeran tener en Temujin a un hombre de paja y le abandonaron marchándose con sus seguidores.

Ese mismo año y con la idea de fortalecer sus pretensiones al trono kereyit, se atrevió a dar un paso impensable solo un tiempo antes. Le propuso al jan kereyit establecer una alianza matrimonial, casando a una de las hijas de Ong Jan con Jochi, el primogénito de Temujin. Este tipo de oferta de un cliente a su patrón era bastante audaz, pero teniendo en cuenta el aumento de poder del jefe mongol tampoco puede decirse que fuera descabellada. Su principal consecuencia fue la de aumentar las tensiones que ya existían en el seno de la familia de Ong Jan. En concreto su hijo y heredero potencial, Sengum, se opuso de manera frontal a ella, por motivos obvios, y consiguió convencer a su padre para que la rechazara. La *Historia secreta de los mongoles* no dice que Temujin reaccionara de ninguna manera ante este nuevo desplante, pero en cierta manera el incidente significó el principio del fin para la relación cliente-patrón que habían mantenido los dos jefes. Durante los meses siguientes muchos de los enemigos de Temujin, incluidos los aristócratas que le habían abandonado tras el incidente del botín y, como no, Jamuka, se concentraron alrededor del jan de los kereyit. En combinación con Sengum vencieron las reticencias de Ong Jan y acabaron por convencerle del peligro que representaba Temujin y, en consecuencia, de la necesidad de eliminarlo. Incluso le propusieron un plan para alcanzar su objetivo, que consistía en fingir que el jan kereyit aceptaba la alianza matrimonial para poder capturar al jefe mongol durante el banquete de celebración de la misma.

Pero Temujin desconfió y no acudió al encuentro, lo que obligó a los conspiradores a aumentar la escala de sus planes. Decidieron reunir un ejército y atacar el campamento de Temujin por sorpresa. Pero no fueron capaces de mantener el secreto y su adversario fue advertido del inminente ataque, la *Historia secreta de los mongoles* dice que por dos pastores. Ante la gravedad de la situación, Temujin reunió a todos los partidarios que pudo y, en el otoño del año 1203, se enfrentó a la coalición de enemigos. El desenlace de la batalla resultante no está claro, ya que la *Historia secreta de los mongoles* dice que la ganó Temujin, pero el historiador persa del siglo XIII Rashid al-Din afirma que este sufrió una clara derrota, que podría haber sido aún mayor de no ser porque Sengum fue herido en la cabeza por una flecha. Teniendo en cuenta los siguientes pasos de Temujin lo segundo parece más probable. La derrota provocó la descomposición de su ejército y fue abandonado por muchos de sus seguidores. Acompañado por un reducido núcleo de partidarios, las fuentes hablan de entre dos mil y cuatro mil cuando en los años anteriores había dirigido a varias decenas de

Guerreros nómadas acampando. Álbumes de Saray.
Principios del siglo XV. La guerra en la estepa se
caracterizaba por la movilidad, la rapidez y la fluidez.
Las fuentes nos presentan un panorama dominado por
hordas muy flexibles que se formaban y deshacían con
rapidez, según el éxito obtenido o la estación del año.

miles, el jefe mongol buscó refugio en el pantano de Baljuna. De modo sorprendente, Ong Jan, Jamuka y sus aliados no aprovecharon la situación tan favorable que se les presentaba para asestar el golpe definitivo a su enemigo. Posiblemente creyeron que estaba acabado y, en vista de sus relaciones posteriores, puede que en ese momento no les conviniera eliminar a Temujin. Por su parte, este no era un adversario al que se le pudiera dar un respiro por mínimo que fuera, algo que Ong Jan y sus aliados iban a aprender en breve.

LA LUCHA FINAL POR LA HEGEMONÍA EN LA ESTEPA

Entre los nómadas un jefe dependía, para mantener unido a su grupo, de su capacidad para proporcionar protección y oportunidades de obtener botín. Como vimos en su momento ese fue el elemento principal que explica el abandono de Temujin y su familia tras la muerte de Yesugei. Esta característica de la política nómada dejaba a los jefes especialmente vulnerables tras una derrota. Dependiendo de la magnitud de la misma, podían encontrarse con que muchos de sus *nojor*, seguidores e incluso dependientes les abandonasen. Aunque la batalla del año 1203 demuestra que Temujin no era inmune a esta ley de la estepa, la verdad es que parece haberse visto menos afectado por ella que otros jefes. Su primera derrota en una batalla ante Jamuka, años atrás, no supuso su fin y consiguió recuperarse de este nuevo e inesperado revés con una rapidez sorprendente. Desde su nueva base en el Baljuna se dedicó a una frenética actividad para recuperar la confianza de quienes le habían abandonado, muchos de los cuales volvieron a aceptar su liderazgo. Mientras Temujin reconstruía su ejército, su aparente desaparición de la escena política puso al descubierto las contradicciones internas de la heterogénea coalición que lo había derrotado. Parece ser que Jamuka y varios jefes tramaron derrocar a Ong Jan para hacerse con el control de la confederación tribal kereyit, pero fueron descubiertos y debieron huir para salvar sus vidas. La mayoría, entre los que se encontraba Jamuka, se refugiaron entre los naiman, pero una minoría incluso se unió a las fuerzas de Temujin.

Finalmente, este se sintió lo bastante fuerte como para atacar a Ong Jan y a los kereyit. Informado de dónde tenían estos su campamento, les atacó por sorpresa en medio de las celebraciones de su reciente victoria. Los dos bandos lucharon durante tres días hasta que los kereyit fueron derrotados y los supervivientes capturados o puestos en fuga. Entre ellos estaba Ong Jan que trató de refugiarse entre los naiman, pero murió de forma ignominiosa abatido por un guerrero naiman que no lo había reconocido, o al menos eso dice la *Historia secreta de los mongoles*.

Los vertiginosos acontecimientos del otoño de 1203 nos recuerdan las características específicas de la vida en la estepa y la fragilidad de la base de poder de los jefes. En el lapso de unos pocos meses Temujin pasó de ser la estrella ascendente del panorama político a sufrir una severa derrota y parecer completamente acabado, para finalmente protagonizar una milagrosa recuperación que le permitió derrotar a sus enemigos y terminar el año siendo mucho más poderoso de lo que era al empezarlo. Por su parte el desgraciado Ong Jan vio como su base de poder se esfumaba tras una sola batalla, y perdió la vida al poco tiempo.

Tras su victoria, Temujin distribuyó recompensas entre sus seguidores, en correspondencia con la faceta de caudillo generoso inherente al cargo de líder entre los nómadas. Las princesas de la casa de Ong Jan fueron casadas con varones de su familia, él mismo se

El valle del río Kerulen en la actual Mongolia. A orillas de este río se encontraba el último campamento de Ong Jan, donde este fue sorprendido y derrotado por los mongoles de Temujin, mientras celebraba su reciente victoria.

casó con varias, y los kereyit fueron repartidos entre las tribus y clanes mongoles siguiendo lo que se había convertido ya en una costumbre para Temujin. Como originalmente sus mongoles habían pertenecido a la confederación tribal kereyit y habían luchado juntos durante los últimos años, su integración debió de ser más fácil que la de los yurkin o los tayichiud.

A partir de este momento, Temujin se convirtió en el jan indiscutible de la confederación kereyit y en el dueño y señor de Mongolia occidental y central. El único poder que podía hacerle frente era el de los naiman. Estos dirigían la única confederación tribal que no estaba bajo el control del jan mongol y habitaban toda la Mongolia oriental. De manera lógica todos los adversarios de Temujin, los mongoles que aún se negaban a seguirle liderados por el incombustible Jamuka, y grupos de tatar y kereyit buscaron la protección del jan naiman. Su nombre era Balbuka pero era más conocido como Tayang Jan, dado que Tayang no es sino la corrupción del título chino *Tai Wang*, que significaba 'gran rey'. Tanto a Temujin como al jan naiman debía de parecerles que era inevitable un enfrentamiento entre ellos, aunque la *Historia secreta de los mongoles* atribuye toda la responsabilidad de la guerra al desprecio que supuestamente sentían los naiman hacia los mongoles. Según esta, Tayang Jan ofreció participar en el ataque contra los mongoles al jan de la tribu ongut, pero este no solo declinó la oferta, sino que puso a Temujin sobre aviso del ataque que se estaba preparando. En cualquier caso los oirat y los merkit sí le brindaron su apoyo. Estos últimos estaban dirigidos por Toqtoa, uno de los jefes que habíamos visto secuestrar a Bortre y lograr escapar tras la derrota que le infligieron Ong Jan, Jamuka y Temujin. Nada ilustra mejor la dificultad entre los nómadas para eliminar físicamente al líder de un grupo rival que la presencia de Toqtoa en la batalla final por el control de la estepa, veinte años después de haber sido derrotado por Temujin.

Como paso previo a la conflagración Temujin decidió reorganizar su ejército. Las tropas mongolas se estructuraron en unidades de diez, cien y mil guerreros, cada una dirigida por un líder. Se creó además un cuerpo especial de guardaespaldas encargados de la seguridad del jan mongol y también una guardia, que cumpliría la función de cuerpo de élite a la disposición de Temujin.

Finalmente en el verano del 1204 decidió golpear a sus enemigos antes de que estos pudieran atacarle a él. Se adelantó al comienzo de la campaña guerrera, que solía tener lugar normalmente en otoño, cuando los caballos se habían recuperado de los rigores del invierno gracias a los pastos estivales, y se adentró con su ejército en territorio naiman. La *Historia secreta de los mongoles*, que nos da una visión muy negativa de Tayang Jan, afirma que este, tras ser engañado por una estratagema ideada por Temujin, creyó erróneamente que el ejército mongol era más nume-

Los pastos de este valle de montaña situado en la cordillera del Altai han sido y son el escenario de la variedad de pastoreo nómada que se conoce como nomadismo vertical. Estas montañas eran el corazón del territorio naiman y a ellas quiso atraer, infructuosamente, el jan Tayang al ejército de Temujin.

roso que el suyo y quiso huir a la cordillera del Altai, pero humillado por su hijo Guchuluk acabó por presentar batalla. Es perfectamente posible que el jan naiman no quisiese huir, sino poner en práctica la conocida táctica nómada de la retirada estratégica, que ya comentamos anteriormente. En la batalla resultante, el nuevo ejército de Temujin derrotó decisivamente a la coalición de adversarios. Guchuluk, que volvería a cruzarse en el camino de Temujin años después, escapó junto a unos pocos supervivientes, pero eso ya no tenía importancia. Con la excepción de un puñado de tribus, casi todos los pastores nómadas de la estepa reconocían el liderazgo del, finalmente, único jan de los mongoles.

EL *KURILTAI* DEL 1206

Temujin dedicó todo el año 1205 a consolidar su situación de dominio en la estepa, ordenó que se persiguiera a los fugitivos que se negaban a doblegarse y

HERMANOS DE SANGRE Y RIVALES

Una de las figuras que más influencia ejerció sobre Temujin fue la de Jamuka. Su relación pasó de ser amigos de la infancia y *anda* (el vínculo más estrecho que podían compartir dos hombres no ligados entre sí por lazos de parentesco) a ser rivales a muerte que compitieron durante veinte años por la jefatura de los mongoles. Jamuka fue un político mediocre pero un buen jefe militar, Ong Jan delegó en él la dirección de la campaña militar contra los merkit para rescatar a Bortre, y bien podría ser que el joven Temujin, que no tenía experiencia en la dirección de contingentes de guerreros, «aprendiese el oficio» junto a él durante el año y pico que nomadearon juntos. Su relación personal con Temujin parece haber sido bastante compleja y probablemente explica el extraño comportamiento que le atribuye la *Historia secreta de los mongoles*, según la cual Jamuka combinó durante años una oposición implacable y sistemática a Temujin, estuvo en todas las coaliciones que se formaron para hacerle frente, con mensajes en los que prevenía a este de peligros que le acechaban. La culminación de esta actitud ambivalente de Jamuka la encontramos en el, inverosímil, relato de su encuentro final con Temujin que nos presenta la *Historia secreta de los mongoles*. Según esta, una vez derrotados los naiman, y con Temujin convertido en virtual señor de la estepa, Jamuka se escondió con un puñado de seguidores durante meses, hasta que estos, cansados de una huida sin esperanza, lo apresaron y entregaron a Temujin. Al volver a encontrarse cara a cara con su antiguo hermano de sangre, Temujin le ofreció el perdón si reconocía su liderazgo, pero Jamuka contestó que él solo sería un problema para el conquistador mongol y le pidió que lo matara. Fuese como fuese realmente su último encuentro, lo cierto es que Temujin hizo ajusticiar a Jamuka y que con su muerte acabó una relación de más de treinta años que estuvo marcada por la amistad, pero también por la ambición, la rivalidad y el enfrentamiento.

envió una expedición para someter a los pueblos de cazadores que habitaban la taiga, al norte de la estepa. Al año siguiente se sintió lo bastante seguro de su posición como para convocar un *kuriltai*, una asamblea de los líderes de todas las tribus de pastores nómadas. La reunión se llevó a cabo en un campamento a orillas del Onon, en el territorio que había sido ocupado por los pastos del grupo liderado por su padre. Allí Temujin fue aclamado como «jan de todos los que viven en tiendas de fieltro» y además se le concedió el título por el que ha pasado a la historia y que utilizaremos para referirnos a él de ahora en adelante: Gengis Kan. Aunque se han propuesto diversas etimologías para este título, la más aceptada fue formulada por Paul Pelliot, quién consideró que debía traducirse como 'jan oceánico', con el sentido de jan universal.

Tras repartir recompensas entre sus seguidores y partidarios, Gengis Kan proclamó varias reformas que cambiarían la estructura de la sociedad mongola para siempre. El ejército fue aumentado hasta alcanzar noventa y cinco unidades de mil hombres. Los comandantes no fueron escogidos por su afiliación a una u otra tribu, ni por su posición en la jerarquía tribal, sino por su relación personal con Gengis Kan. La mayoría de estos oficiales no eran aristócratas y, de hecho, muchos eran *otogus bol* ('dependientes'). Esta reorganización supuso, por una parte, el surgimiento de una nueva nobleza de carácter militar que debía su posición al jan universal y que le era completamente fiel; y, por la otra, la consolidación de la meritocracia, la selección de los candidatos para un puesto no por su pertenencia a un clan o linaje privilegiado, sino por sus méritos personales. Por si esto fuera poco, los guerreros de cada unidad de mil, con unas pocas excepciones, no provenían de una única tribu, sino de varias. Como estaban obligados a llevar consigo a sus familias la medida debilitó claramente la organización tribal tradicional de los pastores nómadas.

Paralelamente, se aumentó la guardia hasta alcanzar los diez mil efectivos. Gengis Kan promulgó leyes con el objetivo de acabar con las luchas entre los clanes y por eso prohibió las dos actividades fuente de la mayoría de conflictos: los robos y el secuestro de mujeres. También creó el embrión de una administración imperial basada en la tradición uigur, que utilizaba su alfabeto.

A la hora de analizar estas importantes reformas debemos ser conscientes de que Gengis Kan no fue un líder nómada típico. Pese a su pedigrí real no disfrutó de la ventaja de ser el heredero de una tribu que ya fuese poderosa en una porción de la estepa y que pudiese utilizar como base de poder. Como hemos visto, la prematura muerte de su padre le dejó en una situación muy precaria y, en cualquier caso, los mongoles habían perdido su liderazgo supratribal, por lo que no pudieron proporcionarle un apoyo colectivo. En realidad, hubo mongoles en las filas de sus enemigos hasta el final y los procesos de unificación de los mongoles y de conquista de toda la estepa no se produjeron de forma sucesiva, sino simultánea.

Aunque nunca lo expresó de manera directa, es evidente que sus desengaños y desventuras personales le hicieron desconfiar tanto del sistema tribal como de las relaciones de parentesco. Estos recelos moldearon sus ideas sobre la política y la estrategia militar. Después de las reformas del año 1206, tanto el ejército como el Imperio estuvieron dirigidos por hombres que le profesaban una lealtad incondicional, mientras que la mayoría de miembros de su propio linaje fueron apartados de las posiciones de poder. Sin poder confiar plenamente ni en su familia ni en los clanes mongoles, Gengis Kan se vio obligado a acumular en sus manos una cantidad de poder mayor que ningún otro de sus predecesores al frente de imperios nómadas.

Una de las dificultades para escribir una biografía al estilo moderno sobre Gengis Kan está relacionada con la escasez de fuentes y especialmente con aquellas que podrían servir para hacernos una idea de sus pensamientos, motivaciones y deseos (como correspondencia privada o testimonios de gente que lo conoció en persona). Este impedimento es fácilmente observable a la hora de intentar comprender cuáles fueron sus intenciones y, sobre todo, sus objetivos en las diferentes etapas de su carrera política. Nuestra fuente principal, la *Historia secreta de los mongoles*, lo presenta como un cliente fiel y sin ambiciones, que se limita a defenderse cuando es atacado injustamente. Si nos creemos esta visión, resulta que Gengis Kan unificó a todos los nómadas de la estepa mongola de manera prácticamente involuntaria y forzado por las circunstancias.

Pero esta versión es obviamente pueril y está motivada por el carácter apologético de la obra. La ambición tuvo que jugar un papel importante en la vida de un hombre que, siendo un adolescente, mató a su hermanastro para evitar que le arrebatara el control del grupo familiar. Aunque es imposible determinar con seguridad la evolución de las aspiraciones de Gengis Kan, al menos estas se pueden intentar deducir, para los diferentes periodos de su carrera, según el contexto y sus acciones. Teniendo en cuenta que partió de unos orígenes muy humildes, es improbable que su objetivo original fuera el de convertirse en señor absoluto de la estepa, posición que, por otra parte, nadie era capaz de ocupar en ese momento. Posiblemente su meta fuese simplemente alcanzar una posición similar a la de su padre, como jefe de la tribu borjiguin y al frente de un séquito de *nojor* y dependientes. Pero su ambición debió aumentar rápidamente, porque el motivo de su ruptura con Jamuka, alrededor del año 1185, fue con toda probabilidad que Temujin también aspiraba a convertirse en jan de una reconstruida confederación tribal mongol. El enfrentamiento con Jamuka se eternizó y además produjo un efecto de retroalimentación, ya que tras cada derrota el perdedor, fuese quien fuese de los dos según la ocasión, buscaba nuevos aliados, implicando a otros grupos nómadas y ampliando la escala del conflicto.

Es difícil saber en qué momento Temujin comenzó a ambicionar la posición de Ong Jan, pero en los últimos años del siglo XIII observamos los primeros indicios de que intentaba sucederlo como jan de los kereyit. Más complicado aún resulta determinar cuándo decidió convertirse en el señor de toda la estepa.

En cualquier caso, todo esto solo son suposiciones y existe la posibilidad, aunque no parece lo más probable, de que el joven Temujin ya fuese un megalómano decidido a convertirse en jan de todos los nómadas.

UNA NUEVA IDENTIDAD

Uno de los muchos aspectos por los que destaca Gengis Kan es el tratamiento que dispensó a la mayoría de grupos nómadas derrotados. En vez de convertirlos en dependientes subordinados a los victoriosos mongoles, según la costumbre de la estepa, los integró dentro de los clanes mongoles como miembros de pleno derecho. El objetivo de Gengis Kan fue, con toda probabilidad, el de aumentar su base de poder, pero esta medida tuvo repercusiones a medio plazo. La más importante fue la de cambiar radicalmente a los propios mongoles. Estos pasaron de ser un puñado de tribus, la mayoría de cuyos miembros hablaban mongol y que no debían pasar de varias decenas de miles, a convertirse en un enorme conglomerado de, al menos, un millón de personas. Este conglomerado estaba compuesto por casi todos los pastores nómadas de la estepa situada entre la cordillera del Altai y la actual Manchuria, una minoría significativa de los cuales (especialmente los de origen naiman) hablaba lenguas turcas. Esta situación hizo necesaria una redefinición de la identidad mongol para acomodarla a la nueva realidad. Es probable que, en un primer momento, los propios integrantes de este naciente pueblo mongol hicieran distingos entre «mongoles viejos» y «mongoles nuevos» (por utilizar la terminología de la Castilla de comienzos de la Edad Moderna), pero de cara al exterior todos eran, simplemente, mongoles.

Para entender mejor este proceso podemos fijarnos en los casos de Toreguene y Sorqaqtani. La primera, naiman de nacimiento y viuda del Gran Jan Ogedei, ejerció como regente del Imperio entre los años 1241 y 1246, mientras que la segunda había sido una de las princesas kereyit casadas con varones de la familia de Gengis Kan en el 1204 y tuvo un papel decisivo en la elección de su hijo Guyuk como Gran Jan el año 1253. No tenemos constancia de que hubiera la más mínima oposición a que unas extranjeras acumulasen tanto poder, por el simple motivo de que nadie las consideraba extranjeras. Podría argumentarse que como en la sociedad nómada las mujeres se integraban en el grupo del marido, recordemos que la madre de Gengis Kan era una merkit, su caso no se alejaba de la práctica común entre los nómadas. Pero también contamos con numerosos ejemplos de varones nacidos fuera del pueblo mongol y que pasaron a integrarse en él, cuando este se amplió para abarcar a todos los nómadas sometidos a Gengis Kan. Quizás el caso más representativo sea el de Subetei, que se convirtió en uno de los generales de confianza de Gengis Kan sin que su origen fuese un problema, lo que es especialmente significativo, ya que originariamente era miembro de la tribu suriangqan, cuyos integrantes ni siquiera eran pastores nómadas sino cazadores de los bosques subárticos.

5

Guerra al jan dorado

El *kuriltai* del 1206 fue, aunque en ese momento ni Gengis Kan ni los otros líderes nómadas que asistieron lo supieran, el primer paso en la serie de campañas militares más exitosas de la historia de la humanidad. Durante las siete décadas siguientes los mongoles se extenderían por buena parte del continente euroasiático, arrollándolo todo a su paso. Por eso no deja de ser una ironía que en su momento nadie fuera de la estepa, con la posible excepción de algunos oficiales fronterizos chinos, tuviera noticia de su celebración. A partir de ese momento los ejércitos de Gengis Kan se lanzaron a la conquista de China. O quizás sería más adecuado hablar de las Chinas, ya que el antiguo Imperio de la dinastía Tang se había dividido en tres estados independientes doscientos años antes. Es por ello que es necesario retroceder en el tiempo hasta la agonía de los Tang y la formación de los imperios sucesores para entender el panorama internacional de la zona a comienzos del siglo XIII y conocer cuáles fueron los primeros estados sedentarios en experimentar la furia de los mongoles.

A partir de este momento cambia el abanico de fuentes históricas a nuestra disposición y destaca el progresivo eclipse de la *Historia secreta de los mongoles*, que tan importante nos había resultado en los dos capítulos anteriores, pero que es más parca y menos fiable cuanto más nos alejamos de la estepa. A cambio contamos con información fiable en varias obras chinas, especialmente el *Yuanshi*, la historia oficial de la dinastía mongola en China, la dinastía Yuan, escrita en tiempos de su sucesora la dinastía Ming (1368-1644).

LA DESINTEGRACIÓN DEL IMPERIO CHINO

Hay consenso general a la hora de considerar que, pese a la existencia de otros problemas de tipo social y económico, el factor principal en la caída de la dinastía Tang fue el poder acumulado por los gobernadores del gran número de regiones militares en que se había dividido el norte del Imperio. Estos controlaban la mayor parte del ejército, alrededor de un 70% de sus efectivos, y actuaban de manera semiautónoma. Un primer y dramático aviso de este problema fue la rebelión de An Lushan (de la que ya hablamos anteriormente al tratar el Imperio uigur), en el 755, y de la cual los Tang no se recuperaron completamente. El poder de los gobernadores militares del norte continuó creciendo durante el siglo IX, y el golpe de gracia para la dinastía fue la gran revuelta campesina conocida como rebelión de Huang Chao en el 880. A partir de ese momento, la figura del emperador dejó de tener poder efectivo, aunque la dinastía existió oficialmente hasta el año 907, cuando fue depuesto el último emperador Tang y se produjo la primera usurpación militar.

Durante el siguiente medio siglo, el Imperio chino estalló literalmente y se fragmentó en más de una

Relieve de la tumba del emperador Zhenguan, el segundo de la dinastía Tang, datado cerca del año 650. Parte del equipo de este jinete chino es de origen nómada y nos recuerda que las influencias culturales entre China y la estepa no se producían en una única dirección.

decena de estados, por lo que el periodo es conocido en la historia china, de manera harto descriptiva, como el de las Cinco Dinastías y los Diez Reinos. En el 960, un popular general llamado Zao Kuangyin proclamó la fundación de una nueva dinastía, la de los Song, e inició un exitoso proceso de conquista y absorción de los otros reinos con el evidente objetivo de reunificar China. Durante dos décadas pareció que los Song serían capaces de recuperar todos los territorios que habían formado parte del Imperio de los Tang, pero tras una larga guerra que duró del 978 al 1005 no pudieron derrotar al Imperio kitan. Este había sido establecido por un pueblo bárbaro y ocupaba Manchuria y una pequeña franja del norte de China. Además, los tangut, que controlaban el Gansu, en la frontera occidental de China, también se negaron a someterse a los Song.

LA CHINA SONG, EL IMPERIO KITAN Y XI XIA

A partir de la primera mitad del siglo X, la situación se estabilizó y China quedó dividida entre el Imperio de los Song, el Imperio kitan y el reino de Xi Xia. Los Song fueron una dinastía peculiar en la historia china que combinó un impresionante desarrollo de las artes y la cultura con una clara debilidad política y militar. El mismo hecho de que tolerasen la existencia de otros estados en la propia China iba en contra de la ideología imperial, y que comprasen la paz con sus vecinos a cambio de tributos hubiera resultado totalmente inaceptable a otras dinastías anteriores como los Han y los Tang.

Los kitan, por su parte, no habían aparecido de la nada sino que tenían una larga historia de relaciones con China. Su nombre aparece en las fuentes chinas a partir del siglo V de nuestra era, aplicado a unas poblaciones originarias del sudeste de Mongolia que se desplazaron a Manchuria. Es difícil establecer la filiación lingüística de los kitan, tanto por la escasez de palabras conservadas de su lengua como por el origen mixto de su población, aunque la mayoría de investigadores considera que debió pertenecer a la familia de lenguas mongolas. Como otros pueblos bárbaros, fueron víctimas de la situación bipolar existente cuando tanto en China como en la estepa existían dos grandes Imperios que se encargaban de destruir cualquier intento de crear un estado independiente. De esta manera, entre la segunda mitad del siglo VI y finales del IX, se vieron obligados a alternar su sumisión entre los diferentes imperios nómadas de la estepa mongola, primero al de los türk y luego al de los uigur y a la China de la dinastía Tang.

A partir del año 840 comenzaron su expansión sometiendo a otros grupos bárbaros, pero fue la llegada al poder de un nuevo *qaghan* el 907, llamado Abaoji, el acontecimiento que los encaminó definitivamente hacia la conquista de un imperio. Abaoji afianzó su poder entre los propios kitan y convirtió la antigua confederación tribal formada por ocho tribus en un estado basado en el modelo administrativo chino. Sus conquistas estuvieron principalmente orientadas hacia la estepa, donde derrotaron a los nómadas shato y sobre todo a Manchuria, donde sometieron tanto a pastores nómadas, los xi, como a pueblos del bosque, como los yurchen. También lucharon contra varios de los estados surgidos tras el colapso de los Tang, consiguiendo el control en el 938 de una pequeña franja del norte de China conocida como las Dieciséis Prefecturas. Pese a que en la década central del siglo X ocuparon una buena parte del norte de China (llegaron a controlar la ciudad de Kaifeng en el 946), finalmente optaron por un política conservadora y renunciaron a todas sus conquistas exceptuando las Dieciséis Prefecturas. A partir del año 978 tuvieron que enfrentarse al ataque de los Song y truncaron bruscamente la racha de victorias que estos habían obtenido en las dos décadas anteriores. La guerra se prolongó hasta el 1005 y, al final de la misma, los Song no solo debieron renunciar a su objetivo de recuperar las Dieciséis Prefecturas, sino que tuvieron que conceder a los kitan una indemnización anual de doscientas mil piezas de telas y cien mil onzas de plata. Durante el siglo XI los kitan, cuyo clan dirigente había adoptado el título dinástico chino de Liao en el 947, se convirtieron en el estado más poderoso de la región ejerciendo su superioridad, tanto sobre la China de los Song como sobre el reino de Xi Xia.

Caballería pesada Song. Pintura sobre seda del siglo XII. Los ejércitos Song reunificaron buena parte de China durante los años 960-980, pero con posterioridad fueron incapaces de vencer a los kitan, tangut y yurchen.

Una peculiaridad del Imperio kitan es que adoptó una organización de tipo dual. De un lado, una administración formada por miembros de las tribus se encargaba de los asuntos de la población tribal, concentrada especialmente en Manchuria; mientras que por otra parte, otra administración, formada por burócratas chinos, se ocupaba de las poblaciones sedentarias. Las dos estaban bajo el control del emperador, que utilizaba el aparato de gobierno chino para mantener controladas a las tribus kitan y al poder militar de estas tribus para evitar rebeliones de la población china.

Por su parte, el reino de Xi Xia tuvo un origen totalmente diferente. Fue creado por los tangut, un pueblo que en el siglo VII, huyendo de la presión del Imperio tibetano, había conseguido que los Tang los aceptasen en sus territorios y les concediesen tierras en el Gansu. Su lengua formaba parte de la familia tibeto-birmana, y su población incluía tanto pastores nómadas como agricultores sedentarios. En las últimas décadas del siglo IX proporcionaron asistencia militar a los Tang, que recompensaron a su jefe con un puesto de gobernador provincial. Durante las caóticas décadas de los Cinco Dinastías y los Diez Reinos los tangut fueron ganando autonomía hasta que acabaron convirtiéndose en un estado *de facto*, que no obstante mantenía las apariencias de pertenecer a China. Desde finales del siglo X los tangut tuvieron que hacer frente a la presión tanto de los Song como de los kitan, pero sus dirigentes supieron maniobrar con habilidad para mantener la independencia del reino. En el año 1032 un jefe tangut llamado Yuanhao adoptó, por primera vez, el título de emperador, *huangdi*, dejando clara la independencia del estado, llamado del Gran Xia, pero que la historiografía china conoce como Xi Xia, el Xia Occidental.

Este estado ocupaba el corredor del Gansu, así como partes del norte del Ordos, y estaba compuesto por una población muy heterogénea en la que además

Jinetes kitan cazando con halcones en una pintura sobre seda de época Song. Los kitan forjaron un Imperio que comprendía Manchuria y una franja de territorio del norte de China. Aceptaron la administración y la cultura chinas y su clan real adoptó el título dinástico chino de Liao.

de los tangut, que aportaban las clases dirigentes y el clan real, había chinos, tibetanos y otros grupos menores. La mayoría de la población era sedentaria, dedicada a la agricultura y al comercio, pero había una importante minoría de nómadas dedicados al pastoreo. La administración, como era habitual en la zona, se basada en el modelo burocrático chino. Su posición geográfica entre el Tíbet, Asia Central, la estepa de Mongolia y China hacía que controlase varias rutas importantes de comunicación, entre las que destacaba la ruta caravanera que unía China con el actual Turquestán, y favorecía su papel en el comercio internacional de manera casi natural. Dado que una parte del norte del reino lindaba con la estepa, los tangut tenían relaciones, especialmente comerciales, con poblaciones nómadas que, a principios del siglo XIII, comprendían a los kereyit, tatar y naiman.

El ataque a Xi Xia

Xi Xia tuvo el dudoso honor de ser la primera potencia fuera de la estepa en ser atacada por los mongoles de Gengis Kan. En el año 1205, un ejército que no estaba mandado por el conquistador mongol se adentró en el reino y saqueó las regiones occidentales del mismo, y regresó a la estepa con un considerable número de animales robados, especialmente camellos. La consecuencia más importante de la razia fue la deposición del monarca tangut Chunyou por su primo Anquan, debido probablemente a la incapacidad de aquel para defender el país. Las razias mongolas habían provocado la primera usurpación del trono en los casi dos siglos de existencia del reino. Los mongoles no volvieron al año siguiente, pero sí al otro y esa vez no solo saquearon y robaron, sino que también intentaron tomar, aunque no está claro si lo consiguieron, la importante fortaleza de Wulahai, que protegía el acceso a la estepa del Ordos.

Las operaciones del 1205 y 1207 habían tenido un carácter básicamente predatorio, pero en el año 1209 el propio Gengis Kan se encargó de dirigir una invasión en toda regla. El ataque comenzó con una épica travesía a través de 1.000 km del desierto del Gobi, una parte de los cuales proporcionaba pastos limitados para las monturas, mientras que los últimos trescientos eran dunas de arena. Al norte de la fortaleza de Wulahai derrotaron a una fuerza tangut de unos cincuenta mil hombres cuyo comandante fue ejecutado tras negarse a arrodillarse ante Gengis Kan. Los mongoles se dirigieron a continuación contra la fortaleza, tomándola al asalto. Avanzando en dirección sur, Gengis Kan condujo su ejército contra la fortaleza de Keyimen que protegía el acceso a Zhongxing, la capital de Xi Xia. Desplegado en la línea de colinas donde se alzaba la fortaleza, los mongoles se encontraron con

El reino de Xi Xia fue el primer estado sedentario en ser atacado por los mongoles y fue ante su capital donde Gengis Kan se enfrentó por vez primera a las dificultades de un asedio.

un ejército tangut de unos ciento veinte mil efectivos que cargó contra ellos inmediatamente. En la subsiguiente batalla los tangut obligaron a los mongoles a retirarse, pero ya fuese porque había sufrido muchas bajas o porque no estuviese convencido de haber derrotado completamente a los mongoles, el general tangut no ordenó a sus hombres montar una persecución. Como consecuencia de esto, los dos ejércitos se contemplaron mutuamente durante dos meses sin atreverse a atacar al contrario, los tangut en la línea de colinas y los mongoles en la llanura al pie de estas.

Pasado este tiempo, a principios de agosto de 1209, Gengis Kan decidió poner en práctica la conocida treta nómada de la retirada fingida. Levantó su campamento y se retiró, dejando atrás una pequeña fuerza para, aparentemente, cubrir su retirada. El comandante tangut no pudo resistirse a la oportunidad

Tumba de uno de los emperadores de Xi Xia, situada en la actual provincia china de Ningxia. El complejo funerario consta de una serie de edificios auxiliares y de una gran tumba, todos construidos con adobe, unos bloques de barro mezclado con paja y secados al sol típicos de las zonas desérticas.

de aniquilar fácilmente la retaguardia mongola y ordenó un ataque general, pero cuando bajaron a la llanura sus tropas se encontraron con que la fuerza principal mongola había regresado y los tangut fueron derrotados completamente. Los mongoles se apoderaron también de la fortaleza de Keyimen y, teniendo en cuenta que las fuentes no mencionan que esta fuera asaltada, es probable que fuese abandonada o se rindiese en el caos de la huida tangut. Su captura abrió el camino a Zhongxing, y los mongoles se apresuraron a rodear la ciudad. Esta estaba bien fortificada y sus alrededores cruzados por canales de irrigación, lo que la convertía en un objetivo difícil de tomar. Además, el emperador de Xi Xia, Anquan, se hizo cargo en persona de su defensa, por lo que al llegar el mes de octubre los mongoles no habían conseguido ningún progreso significativo.

Esta situación evidenció el punto débil de la mayoría de ejércitos nómadas, que carecían de ingenieros para construir y manejar máquinas de asedio. Hasta ese momento los mongoles habían tomado varias fortalezas, pero lo habían hecho por sorpresa o las habían conseguido al rendirse o huir sus defensores. Claramente ese no iba a ser el caso de Zhongxing, pero en vez de renunciar a su presa, esta difícil situación sirvió a los mongoles para demostrar una de sus mejores cualidades: su capacidad de adaptación. Las lluvias de otoño desbordaron el río Amarillo, que transcurría junto a la ciudad, y Gengis Kan ordenó a sus hombres la construcción de una presa que desviara las aguas del río contra la urbe. La obra fue ejecutada con rapidez y, si tenemos en cuenta la actuación posterior de los mongoles en otros asedios, probablemente por prisioneros. Con la ciudad inundada, el asedio continuó hasta enero de 1210, pero justo cuando parecía que las murallas de Zhongxing iban a ceder una crecida del río reventó la presa construida por los mongoles, que vieron como las aguas anegaban su propio campamento. Pese a este revés, Gengis Kan decidió continuar el asedio, aunque ofreció al emperador tangut la posibilidad de negociar una rendición. Anquan aceptó la oferta del conquistador mongol y en el tratado de paz consiguiente se reconoció como su vasallo, entregándole a una de sus hijas en matrimonio, además de una gran cantidad de ganado y bienes de lujo. A cambio, pudo continuar al frente de su reino, eso sí tuvo que aceptar la tutela mongola y, según el historiador persa de comienzos del siglo XIV, Rashid al-Din, una guarnición mongola en Wulahai. El tratado de paz incluía unas condiciones poco claras sobre la obligación de Xi Xia de proporcionar tropas auxiliares a los mongoles para sus futuras campañas, que provocarían pocos años después una nueva guerra entre los tangut y el Imperio mongol. Tras su primera victoria sobre un estado sedentario, Gengis Kan regresó con su ejército a la estepa.

El Imperio yurchen de los Jin

El siguiente país en sufrir la furia de los mongoles no fue el Imperio kitan por un simple motivo, ya no existía. Casi cien años antes había sido destruido por uno de sus propios vasallos, los yurchen. Estos eran un grupo de poblaciones que habitaban el norte de Manchuria, cuya lengua pertenecía a la familia de lenguas tungús. Sus diferentes grupos practicaban una economía mixta que combinaba la caza y la pesca con algo de agricultura y la cría de ganado. A principios del siglo X, una parte de los yurchen se sometieron al naciente Imperio kitan, que los denominó yurchen «civilizados», mientras que otros continuaron independientes, los yurchen «salvajes». Desde la segunda mitad del siglo XI, el estado kitan experimentó una crisis económica, debido a la carga que suponía mantener dos administraciones, agravada por varias revueltas entre los grupos sometidos. Paralelamente, la presión que ejercían sobre los yurchen provocó que estos, que hasta ese momento habían tenido un nivel de organización política bastante limitado, se agruparan aumentando su nivel de centralización política.

Alrededor del año 1100, un jefe llamado Aguta organizó bajo su liderazgo a los yurchen «salvajes». Tres años después se sintió lo bastante fuerte como para proclamarse emperador y, en 1114, declaró la guerra al Imperio kitan y utilizó como pretexto la negativa de estos a devolver un fugitivo. El enfrentamiento se decantó desde el principio del lado yurchen, quienes derrotaron a un gran ejército kitan, del que las fuentes dan la fabulosa cifra de setecientos mil efectivos, enviado contra ellos en 1115. A partir de este momento se sucedieron las deserciones, no solo de chinos al servicio de la dinastía Liao, sino también de kitan. Las diferencias entre la aristocracia imperial kitan, que había adoptado un modo de vida sedentario y la cultura china, y las tribus kitan que habían permanecido nómadas en la estepa de Manchuria y que eran mantenidas al margen de los beneficios del Imperio, explican el rápido colapso de su estado. La guerra continuó hasta 1125, año en el cual el último emperador kitan fue capturado y degradado al estatus de príncipe. Aunque una parte de los kitan abandonaron el Imperio, la mayoría permaneció en él, muchos integrados en el ejército yurchen.

La China de la dinastía Song observó encantada la caída de su no deseado vecino del norte, ignorante de las negativas consecuencias que le acarrearía la aparición del Imperio yurchen. En realidad, los Song habían mantenido contactos con algunos jefes yurchen desde mediados del siglo X, siguiendo la vieja política de enfrentar a unos bárbaros contra otros. El inicio de la guerra entre los yurchen y los kitan volvió a reactivar la diplomacia, y las dos cortes negociaron una alianza para destruir a los Liao. Pero la rapidez con que se produjo la derrota del Imperio kitan dejaba obsoletos los borradores de los acuerdos antes de que pudieran ser ratificados. Finalmente, en 1125 se firmó la alianza entre los yurchen y los Song. Esta contemplaba que los chinos proporcionarían ayuda militar contra los kitan y que a cambio los yurchen devolverían las Dieciséis Prefecturas a los Song. Incluso este pacto final tuvo una vida muy corta, ya que cuando se firmó, los yurchen habían conquistado casi todo el Imperio kitan y no estaban dispuestos a devolver territorios a los Song a cambio de una ayuda que ya no necesitaban. Es más, la corte yurchen decidió continuar las conquistas y a los pocos meses de firmar la alianza declaró la guerra a los Song. Contra este nuevo enemigo los yurchen obtuvieron un éxito aún mayor que con los kitan y en un par de años conquistaron todo el norte de China. Además capturaron una de las capitales imperiales, Kaifeng, y en ella al emperador Song junto con toda su corte. En 1129, sus tropas cruzaron el río Yangzi e iniciaron la conquista del sur de China. Parecía que nada podría impedir que conquistaran todo el Imperio, pero a partir de este momento su imparable avance se ralentizó, ya que esa parte del país, con sus caudalosos ríos, su paisaje cruzado por canales de irrigación y sus arrozales anegados, no era un terreno apropiado para la caballería yurchen. Además, un miembro de la familia imperial reconstruyó la corte y continuó dirigiendo la resistencia contra los invasores. Tras una década más de guerra, los yurchen renunciaron a parte de los territorios que habían conquistado y firmaron la paz con los Song en 1142. Su Imperio no solo controlaba Manchuria, sino que se había apoderado de todo el norte y

Las ruinas de este templo a Confucio situado en la provincia de Shaanxi y acabado en 1203 son un claro recordatorio del nivel de asimilación de la cultura china por parte de la dinastía yurchen de los Jin.

parte del centro de China, imponiéndose sobre todas las tierras hasta el río Amarillo y una porción de las existentes entre este y el Yangzi. Las condiciones de la paz les eran muy favorables, ya que los Song se comprometieron a pagarles un tributo anual de doscientas cincuenta mil piezas de seda y doscientas cincuenta mil onzas de plata, y su emperador se reconoció vasallo del emperador yurchen.

El nuevo estado mantuvo la burocracia Liao prácticamente intacta y también el sistema de administración dual. En realidad, los yurchen abrazaron la cultura china más rápido y de manera más profunda que los kitan y el propio Aguta adoptó un título dinástico chino en una fecha tan temprana como 1115. El elegido fue *Jin*, que en chino significa 'oro' y que dio origen al nombre con que los mongoles conocían al emperador yurchen: *Altan jan*, el 'jan Dorado'.

LA SITUACIÓN DEL IMPERIO YURCHEN A PRINCIPIOS DEL SIGLO XIII

Tras la paz, el Imperio yurchen se convirtió en el estado más poderoso de toda Asia. Al contrario que los kitan, que en su momento solo habían controlado una estrecha franja de territorios septentrionales, eran dueños de una parte considerable de China habitada por unos cuarenta millones de personas, lo que les proporcionaba una base económica importante. La parte del país controlada por los Song tenía una población mayor, pero la debilidad de sus ejércitos anulaba esta ventaja y en consecuencia los yurchen fueron el Imperio más poderoso política y militarmente durante todo lo que quedaba del siglo XII. Pero a finales de este la situación del estado Jin comenzó a debilitarse. En 1194 el río Amarillo cambió su curso, lo que ocasionó una catástrofe de enormes proporciones. Entre el nuevo recorrido y las inundaciones que provocó, extensas zonas del país quedaron anegadas, lo que afectó negativamente a la producción agrícola y tuvo como consecuencia varias hambrunas en los años posteriores. Pese a estas dificultades, cuando el Imperio yurchen fue atacado por los mongoles continuaba siendo un enemigo formidable con unos ejércitos y recursos muy superiores a los del recién creado Imperio mongol.

Una pregunta que hay que responder, antes de tratar la invasión mongola, es la de por qué los Jin, siguiendo la inveterada política de los imperios chinos, no intervinieron para evitar la concentración de todos los nómadas de la estepa de Mongolia bajo un único caudillo. Lo que hoy denominaríamos como un ataque preventivo o, mejor aún, alternar su apoyo de un líder nómada a otro según la situación hubiera podido garantizar ese objetivo. A fin de cuentas habían destruido la primera confederación mongol en los años setenta del siglo XII y habían atacado, ayudados por Togril y por Temujin, a parte de los tatar en 1197. La respuesta, al menos parcial, es que estaban demasiado ocupados en otra parte. Desde el final de la guerra entre los yurchen y los Song en 1142 los dos Imperios habían mantenido unas relaciones pacíficas aunque tensas, con la excepción de un enfrentamiento de cuatro años que comenzó en 1161 y que iniciaron los yurchen. A principios del siglo XIII ganó peso en la corte Song un grupo de funcionarios liderados por el ministro Han Touzhou, que defendían una política revanchista y agresiva contra la dinastía Jin. En consecuencia, a partir de 1204 los Song iniciaron una serie de incursiones contra las zonas fronterizas yurchen y, dos años después, les declararon la guerra oficialmente. Movilizaron un gran ejército de ciento sesenta mil hombres y atacaron a los yurchen, convencidos de que su presencia desencadenaría un levantamiento de la población china del Imperio. Tras un pequeño éxito inicial, la invasión fracasó por una combinación de mala planificación, que provocó un colapso logístico, y de la firme resistencia enemiga.

En el otoño de 1206, los yurchen pasaron a la contraofensiva y varias de sus columnas penetraron profundamente en territorio Song, sitiando algunas ciudades. Además, la esperada revuelta de los chinos no solo no se produjo, sino que el gobernador Song de la provincia de Sichuan se pasó al enemigo. Desde abril de 1207 cesaron las operaciones a gran escala por parte de los dos bandos y, a finales de ese año, se iniciaron las conversaciones de paz que se prolongaron hasta el verano de 1209. Las condiciones del nuevo acuerdo incluían un aumento de los pagos anuales de los Song y, literalmente, la cabeza de Han Touzhou. En realidad, este ya había sido asesinado en una purga unos meses antes, por lo que hubo que desenterrar su cadáver y enviar el cráneo a la corte

Jin. Al terminar la guerra, los yurchen podían sentirse satisfechos al haber demostrado una vez más su superioridad militar sobre los Song, pero el precio había sido dejar a Gengis Kan las manos libres para convertirse en el dirigente supremo de la estepa.

El conquistador mongol, pese a estar centrado en la guerra contra Xi Xia, no perdió ocasión de informarse sobre los yurchen y, gracias a la colaboración de mercaderes uigures y musulmanes y a un goteo de desertores kitan y chinos, estaba al tanto de la situación en el Imperio de los Jin. Gracias a la *Historia secreta de los mongoles* sabemos que en 1207 se negó a pagar tributo a la corte Jin y rechazó una embajada que le fue enviada con ese propósito. La naturaleza de este tributo es difícil de determinar, aunque podría tener su origen en la campaña contra los tatar de 1197, tras la que Temujin recibió el título honorífico de *chaut-quri*. Tanto la aceptación del título como los tributos, que se llevarían pagando durante diez años, simbolizarían una cierta situación de dependencia con respecto al emperador yurchen que el autor de la *Historia secreta de los mongoles* habría considerado humillante por lo que no la habría mencionado con anterioridad. Pero la opción más creíble es que el tributo lo hubiera estado pagando Wang jan, su antiguo patrón, y que tras haberlo derrotado y ocupado su cargo como jan de la confederación tribal kereyit, la corte Jin considerase a Gengis Kan responsable de continuar con el pago de los mismos. Tres años más tarde, después del regreso a Mongolia de Gengis Kan tras su victoria sobre Xi Xia, los yurchen enviaron una nueva embajada para informarle de la subida al trono del Imperio de un nuevo emperador de la dinastía Jin. Para renovar el lazo de dependencia, que al menos los yurchen creían que tenía, el conquistador mongol debía realizar el *kowtow*, una reverencia de rodillas en la que su frente debía tocar el suelo. Según el dramático relato que nos hace el *Yuanshi* (recordemos la historia oficial de la dinastía mongol en China, la dinastía Yuan) del encuentro con el embajador Jin, al oír sus pretensiones Gengis Kan se giró en dirección a la frontera del Imperio yurchen y escupió, tras lo cual se alejó montado a caballo.

La guerra parecía inminente y los mongoles se prepararon para enfrentarse al Imperio yurchen el año siguiente, en 1211. El yurchen, al tratarse de un estado originario de Manchuria, había extendido sus dominios más al norte que las dinastías chinas anteriores, por lo que la Gran Muralla había perdido su función defensiva y caído en desuso. La dinastía Jin había construido dos murallas, más modestas, que protegían las fronteras norte de su Imperio, pero la primera línea de defensa estaba formada, como era tradicional, por un pueblo de pastores nómadas, los ongut, que patrullaban la frontera de la estepa y que debían fidelidad a los yurchen. Por su parte, el ejército yurchen era uno de los mayores del mundo y tenía bajo sus banderas a medio millón de hombres. Unos ciento veinte mil eran los miembros de la caballería, reclutada entre los propios yurchen y otros pueblos como los kitan y los ongut, mientras que el resto formaba la infantería china. Si durante el siglo XII los yurchen habían poseído el ejército más temible de China, a principios del siglo siguiente su efectividad parecía haber menguado, posiblemente debido a las disputas entre las élites tribales y las que habían asimilado la cultura china, un proceso de aculturación que ya había debilitado a los kitan un siglo antes. En cualquier caso, no hay que exagerar esta decadencia ya que los ejércitos Jin acababan de salir victoriosos de una guerra con la China Song.

Comienza la guerra contra los yurchen

En marzo de 1211 se celebró un *kuriltai* a orillas del río Kerulen en el norte de la estepa, en el que Gengis Kan fue reconocido como soberano por el gobernante de los uigures de Gaochan, un reino situado en el actual Xinjiang, y por el jan de la confederación tribal karluk, que habitaba al sur del lago Baljash. Durante la reunión, el conquistador mongol afirmó que el motivo de la inminente campaña contra los yurchen era castigarles por la muerte del jan Ambaquai cuatro décadas antes. De esta manera, utilizó una de las motivaciones más importantes en una sociedad tribal, la venganza, para justificar sus objetivos. A continuación, partió con su ejército al sur en dirección al Imperio yurchen. No se conoce la cifra exacta de sus efectivos, pero teniendo en cuenta que el total de mongoles en armas era de unos ciento veinte mil y que Gengis Kan debió dejar una guarnición en Mongolia estos no debieron de superar los cien mil. Gengis Kan dividió sus fuerzas en dos ejércitos, el más grande, bajo su mando directo, contaba con su hermano Jochi, su hijo pequeño Tolui y dos de sus mejores generales, Jebe y Subetei, mientras que el otro estaba dirigido por sus tres hijos restantes, Jochi, Chagadai y Ogodei. Cuando los mongoles llegaron a territorio ongut, en el mes de junio, se encontraron con que estos no solo no lucharon contra ellos, sino que algunos incluso se les unieron. La siguiente defensa eran las murallas, que también fueron atravesadas fácilmente, después de derrotar a la guarnición que las custodiaba. Tras ellas comenzaba la zona urbanizada del país y también las primeras ciudades fortificadas. Bien defendidas, estas debían representar un obstáculo muy difícil de superar para los mongoles, pero pronto se demostró que no siempre sería así. Para comenzar, el oficial al mando de la ciudad de Weining desertó y les entregó la ciudad y, poco después, a principios de septiembre de ese año 1211, el ejército principal mongol tomó al asalto las murallas de Fuzhou.

La corte Jin envió una primera oferta de paz que fue rechazada por Gengis Kan, quien debió interpretarla como un signo de debilidad. A finales de mes, mientras el conquistador mongol seguía con su ejército en las cercanías de Fuzhou, se acercó un gran ejército yurchen, cuyos ciento cincuenta mil soldados doblaban con creces el contingente de Gengis Kan. Pero el conquistador mongol decidió presentar batalla, y consiguió una sonora victoria que se prolongó con una extensa persecución de más de un centenar de kilómetros, durante la cual los mongoles acabaron con buena parte de los fugitivos y destruyeron un segundo ejército yurchen.

Probablemente animado por esa sucesión de éxitos, Gengis Kan envió a principios de octubre a su general Jebe con un destacamento para apoderarse del paso de Juyong, el acceso principal desde el norte a las Llanuras Centrales y a Zhongdu, la capital central del Imperio situada en el emplazamiento de la Pekín actual. A finales de mes, Gengis Kan atravesó el paso y se aproximó a la ciudad, lo que provocó tal pánico en la corte Jin que el emperador Chuanhei solo pudo ser disuadido de su intención de huir al sur, a Kaifeng, cuando la guardia imperial juró defenderlo hasta el último hombre. En cualquier caso, las defensas de la ciudad eran impresionantes: con una altura de casi 13 m y un grosor similar, el perímetro de sus murallas, protegidas por novecientas torres y un foso triple, era de más de 28 km. Además cuatro fuertes, con sus propias defensas y pertrechos, rodeaban la ciudad a la cual estaban unidos por túneles.

Ante una plaza tan bien fortificada y sin ingenieros ni equipo de asedio, Gengis Kan solo pudo bloquearla. Para mantener la presión sobre los yurchen

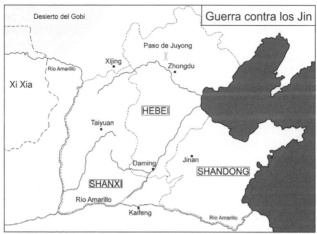

La guerra contra la dinastía Jin fue el enfrentamiento de mayor envergadura de todas las guerras iniciadas por Gengis Kan y, de hecho, la victoria final no se consiguió hasta el 1234, cuando el gran conquistador mongol llevaba ocho años muerto. Las líneas punteadas representan las provincias actuales de Shanxi, Hebei y Shandong.

mientras el ejército principal estaba inmovilizado frente a la capital, envió al general Jebe a realizar una incursión contra el sur de Manchuria, para lo cual este tuvo que atravesar 320 km de territorio enemigo. Paralelamente a estos acontecimientos, el ejército más pequeño había avanzado por la provincia de Shanxi hasta la ciudad de Xijing, que no tomaron. Su cometido principal probablemente fuera el de amenazar a las tropas yurchen que vigilaban la frontera con el reino de Xi Xia y evitar que sus ejércitos pudieran unirse a los encargados de interceptar al contingente mongol principal. En diciembre de ese año, un destacamento mandado por un desertor kitan llamado Ala Ihai saqueó los pastos donde se criaban los caballos para la caballería yurchen. Durante el avance de cualquier contingente mongol, grupos más pequeños se separaban para realizar incursiones en las tierras cercanas a la ruta de la columna principal, robando ganado, quemando las aldeas de campesinos y aumentando la superficie del territorio devastado. En febrero de 1212, Gengis Kan ordenó la retirada general y los mongoles volvieron a la estepa abandonando casi todo el terreno conquistado, incluyendo el paso de Juyong.

La campaña, que había tenido un éxito impresionante, es considerada la victoria, en términos estrictamente militares, más importante de la carrera de Gengis Kan. No solo había conseguido atravesar las defensas yurchen y llegar a Zhongdu, sino que se había enfrentado a unas fuerzas muy superiores en número, a las que derrotó en tres batallas campales e infligió unas bajas terribles. En los años siguientes, el conquistador mongol realizaría campañas a través de distancias mayores o que le reportarían beneficios políticos más importantes, pero en ninguna de ellas volvería a enfrentarse a un número de enemigos tan elevado como en su primer año de guerra con los yurchen. Posiblemente, el primer sorprendido por la magnitud de la victoria fue el propio Gengis Kan, ya que lo más plausible es que su intención original fuera saquear la zona fronteriza colindante con la estepa, sin tomar el paso de Juyong ni muchísimo menos llegar a Zhongdu. La defección de los ongut, la facilidad con que había atravesado las murallas defensivas y las derrotas de los ejércitos yurchen le animaron a penetrar más profundamente en territorio enemigo, por lo que puede considerarse la campaña de 1211 como una expedición de saqueo salida de madre.

A comienzos del año siguiente, estalló una rebelión entre los kitan de Manchuria. Pese a las similitudes entre estos y los mongoles (parte de los kitan eran nómadas y hablaban una lengua similar al mongol), el levantamiento no fue instigado por Gengis Kan, sino que su desencadenante fue la desconfianza de la corte

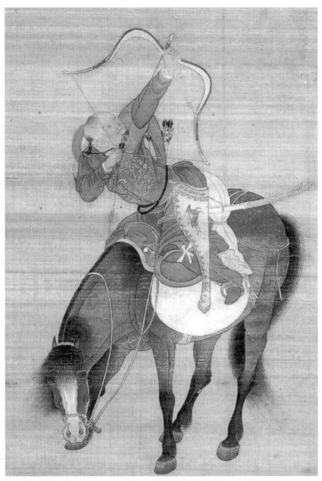

Detalle de una pintura sobre seda datada en 1280 que representa a Kublai Jan cazando con su séquito. La figura de uno de los miembros de su séquito da una buena imagen del aspecto de un jinete arquero, de los que formaban el grueso de los ejércitos mongoles en China.

Jin para con sus súbditos kitan. Temerosa de que estos pudieran unirse a los mongoles envió colonos yurchen a asentarse en las tierras de los kitan, con la idea de tenerlos más controlados. Esta desgraciada medida tuvo un efecto totalmente opuesto al esperado y un jefe llamado Yelu Liuge, descendiente de la dinastía Liao, se rebeló y no solo reclutó un ejército, sino que en marzo concluyó una alianza con los mongoles.

Tras descansar sus monturas durante más de medio año, Gengis Kan volvió a China en octubre de 1212, donde los yurchen habían aprovechado el respiro para reponerse de las fuertes pérdidas del año anterior. La inmensa población de su Imperio les permitió reclutar fácilmente nuevos contingentes de infantería, si bien no fueron capaces de reponer toda la caballería destruida por los mongoles. La realidad es que durante el primer año de guerra habían perdido una parte considerable de sus mejores tropas y que su ausencia, especialmente la caballería, iba a hipotecar la efectividad de los ejércitos yurchen durante todo el conflicto. El objetivo de Gengis Kan para la campaña debió de ser más modesto, quizás la ocupación del territorio entre las murallas defensivas construidas por los yurchen y la abandonada Gran Muralla, ya que dirigió un ejército más pequeño que el año anterior. Al no haber conservado el paso de Juyong, los mongoles se vieron obligados a atacarlo por segunda vez, pero los yurchen, escarmentados por la experiencia del año anterior, lo habían defendido con una fuerte guarnición, por lo que los invasores se vieron obligados a cruzar las montañas por un paso secundario.

Tras llegar a las Llanuras Centrales, Gengis Kan envió partidas a saquear las provincias norteñas de Shanxi, Hebei y Shandong, mientras que él mismo dirigió el ejército principal contra la ciudad de Xijing. Al poco de presentarse ante la ciudad, sus exploradores le informaron de la cercanía de un ejército yurchen que se aproximaba con la evidente intención de levantar el asedio, y el conquistador mongol reaccionó con la energía y rapidez que lo caracterizaban. Los yurchen fueron atraídos a un valle cercano a la ciudad, donde cayeron en una emboscada a gran escala. El ejército yurchen fue destruido casi en su totalidad, su general escapó a duras penas y Gengis Kan pudo proseguir con las operaciones contra Xijing. Estas consistieron no solo en bloquear la ciudad, sino en asediarla con la ayuda de desertores chinos. Mientras supervisaba las obras de asedio, el jefe mongol fue alcanzado por una flecha y aunque no conocemos la importancia de la herida, esta debió ser lo bastante grave como para que decidiera levantar el asedio y regresar a la estepa, pero no tanto como para impedir que se moviera.

El tercer año de guerra comenzó a provocar fisuras en el estado de los Jin ya que se produjo una revuelta de campesinos chinos que, aunque pudo ser sofocada, solo sería la primera de muchas. En marzo de 1213, el rebelde kitan Yelu Liuge adoptó el título de *Liao Wang*, 'rey de Liao', dejando clara su intención de restaurar el estado Liao, aunque el hecho de nombrarse rey y no emperador indica que era lo bastante realista como para entender que sus únicas posibilidades de éxito, a medio plazo, consistían en permanecer en la órbita de poder del Imperio mongol. Nuevamente, los mongoles aprovecharon los meses de interrupción de las hostilidades para descansar sus monturas y los yurchen para reclutar más tropas, y a principios de agosto un recuperado Gengis Kan dirigió una nueva invasión de la China yurchen.

Esta vez sí que fue capaz de forzar el paso de Juyong y, en las cercanías de la ciudad de Yizhou, sus tropas infligieron una terrible derrota a un ejército yurchen que intentó cerrarle el paso. A continuación, Gengis Kan avanzó por la provincia de Hebei y, tras sobrepasar Zhongdu, dividió sus tropas y envió a Jebe con un destacamento a saquear el sur, mientras él mismo, con el cuerpo principal del ejército, se dirigió a la provincia de Shandong expoliando varias ciudades por el camino. Tras alcanzar el mar en octubre, condujo sus tropas de vuelta al norte y en noviembre, después de dejar al general Mujali al cargo del asedio de Zhongdu, acampó a 50 km de la ciudad. Mientras las tropas mongolas arrasaban el norte de China, se había producido un revuelta palaciega en la corte Jin que concluyó con el asesinato de Chunghei y su sustitución por un nuevo emperador, Xuangzong, que se apresuró a ofrecer un acuerdo de paz a Gengis Kan, quien lo rechazó.

EL NORTE EN LLAMAS

Los planes mongoles para la campaña de 1214, que en realidad había comenzado en diciembre del año anterior, fueron especialmente ambiciosos y consistían en saquear sistemáticamente las tres provincias norteñas para destruir la economía del Imperio Jin al norte de río Amarillo. El ejército, que contando con contingentes de desertores chinos, kitan e incluso yurchen, alcanzaba los cien mil efectivos, se dividió en tres columnas. La primera estaba dirigida por los príncipes Jochi, Chagadai y Ogodei, acompañados por un general chino renegado, y su área de acción era la provincia de Shanxi y la parte occidental de la de Hebei. La segunda columna, a cuyo frente estaba Qasar, el hermano pequeño de Gengis Kan, debía ocuparse del área comprendida entre Zhongdu y el mar; mientras que la tercera, dirigida por el propio Gengis Kan, acompañado de su hijo Tolui y de los generales Jebe, Subetei y Mujali, invadiría la provincia de Shandong y el resto de la de Hebei. El peligro evidente de esta estrategia es que los contingentes mongoles podían ser derrotados por separado por fuerzas yurchen mucho más numerosas, pero se trataba de un riesgo calculado ya que las tremendas pérdidas experimentadas por estos en los tres primeros años de guerra habían reducido considerablemente sus efectivos. Siempre existía la posibilidad de que los yurchen intentaran crear un gran ejército de campaña a costa de esquilmar las guarniciones que protegían las ciudades del norte y que lo utilizaran para acabar con las columnas mongolas por separado. Pero Gengis Kan también debió de haber previsto esta posibilidad porque desplegó las columnas de manera que pudieran apoyarse entre sí y al mismo tiempo entorpecieran la concentración de tropas yurchen procedentes de provincias diferentes. En cualquier caso, y esto es algo que el conquistador no podía saber, tras la interminable serie de derrotas a campo abierto que habían sufrido en lo que se llevaba de guerra, habían perdido todas las batallas campales y la gran mayoría de los enfrentamientos menores, los yurchen habían optado por una estrategia defensiva atrincherándose tras las murallas de sus ciudades y evitando los grandes combates. Eso es lo que permitió a los mongoles actuar con una relativa impunidad y que, en consecuencia, dispusieran de dos meses para reducir buena parte del norte de China a cenizas.

En esta campaña destacó el gran número de ciudades conquistadas, e incluso algunas fuentes chinas afirman que al norte del río Amarillo solo quedaron indemnes siete ciudades, merced al creciente número de desertores chinos que se habían pasado al bando mongol y que les proporcionaron los conocimientos, la infantería y los ingenieros imprescindibles para la guerra de asedio. Gracias a ellos, los mongoles también pudieron apoderarse no solo de las ciudades pequeñas o mal defendidas, como hasta ese momento, sino de ciudades grandes, y de hecho tomaron seis urbes de más de cien mil habitantes. A continuación, Gengis Kan regresó al norte de Hebei para proseguir con el

Puerta de las murallas de Xian. Aunque son posteriores a la
conquista mongola, pues fueron construidas en 1370 por
la dinastía Ming, estas murallas de ladrillo son muy
parecidas a las que protegían las ciudades chinas
del siglo XIII. Con sus 12 m de altura y 15 m de grosor
en la base, suponían un obstáculo formidable incluso
para enemigos con experiencia en la guerra de asedio.

asedio de Zhongdu, que contaba con veinte mil defensores en la propia ciudad y cuatro mil en cada uno de los cuatro fuertes que la protegían. A principios de marzo de 1214, los mongoles habían llevado a cabo dos asaltos infructuosos que les habían costado unas pérdidas considerables y las perspectivas no parecían buenas, por lo que Gengis Kan ofreció a la corte Jin abrir conversaciones de paz. Esta, cansada tras cuatro años de fracasos, saqueos y destrucción aceptó y tras un mes de negociaciones, a principios de mayo, se firmó la paz. Las condiciones no fueron especialmente duras para los yurchen y los mongoles recibieron diez mil piezas de seda y diez mil onzas de oro, menos que la indemnización anual que los Song pagaban a los yurchen, más quinientos chicos y chicas como esclavos. Además, una princesa de la casa imperial fue entregada como esposa a Gengis Kan, aunque esta no era hija del emperador Jin, sino de su predecesor asesinado el año anterior.

UNA PAZ EFÍMERA

Es probable que ninguno de los dos contrincantes creyera que la paz fuera a durar mucho tiempo, pero tras un inesperado giro de los acontecimientos incluso estas expectativas tan moderadas resultaron ser demasiado optimistas. En junio de ese año 1214, el emperador Xuangzong decidió trasladar su capital de Zhongdu, situada a 200 km de la frontera y que ya había sido bloqueada en varias ocasiones por los mongoles, a la ciudad de Kaifeng, en la orilla sur del río Amarillo y a 800 km de la estepa. Cuando Gengis Kan recibió la noticia, montó en cólera ya que interpretó el traslado como una medida preparatoria de los yurchen de cara a reiniciar las hostilidades. Es difícil saber cuál fue el motivo que impulsó al emperador Jin a tomar esta decisión, aunque el hecho de que Xuangzong dejara en Zhongdu el tesoro imperial sugiere que no pensaba luchar a corto plazo. Fuere como fuere, un Gengis Kan que se sintió engañado personalmente ordenó a su general Samuja que atacara a los yurchen. Este, con un ejército compuesto por mongoles y renegados kitan y chinos, avanzó sin oposición hasta Zhongdu, donde llegó a principios de septiembre, pero debido a las pérdidas sufridas en los dos asaltos anteriores a la ciudad se contentó con bloquearla con la intención de rendirla por hambre.

Cuando en el mes de enero de 1215 Gengis Kan se unió a sus tropas, la ciudad aún no se había rendido, aunque el hambre comenzaba a dejarse notar. En marzo, y en vista de que la ciudad seguía resistiendo, el conquistador mongol ofreció a la corte Jin negociar un nuevo tratado de paz, pero su oferta fue rechazada, ya que los yurchen creían que aún podían salvar la ciudad. De hecho, mientras los mongoles ofrecían la paz, dos ejércitos yurchen reclutados entre las guarniciones de la mitad sur del Imperio, marchaban hacia el norte para converger sobre Zhongdu. A principios de abril, cuando ya estaban cerca de su objetivo, fueron detectados por los exploradores mongoles, y dice mucho de la confianza que tenía Gengis Kan en sus tropas, y del bajo nivel del ejército yurchen a esas alturas de la guerra, que el conquistador se limitara a enviar un par de destacamentos menores para hacerse cargo de la doble amenaza. En los dos casos, los mongoles fueron capaces de emboscar a los ejércitos yurchen, destruirlos y capturar grandes cantidades de los suministros que transportaban para la ciudad asediada.

Mientras, los mongoles se apoderaron de varias ciudades norteñas, aunque Zhongdu continuaba resistiendo. Dentro de la ciudad la situación era desesperada: en mayo el hambre se hizo tan acuciante que aparecieron los primeros casos de canibalismo. Perdida la esperanza de ser rescatados, los dos comandantes yurchen que dirigían la defensa se pelearon entre sí sobre qué hacer y al final uno se suicidó y el otro huyó de la ciudad con sus parientes, abandonando, por cierto, a varias princesas de la familia imperial a las que había prometido llevarse con él. A principios de junio, la capital yurchen finalmente se rindió, pero el hecho de abrir sus puertas a los mongoles no le evitó sufrir un brutal saqueo, que duró semanas y durante el cual parte de sus habitantes fueron masacrados y la propia ciudad resultó devastada por numerosos incendios. No hay cifras sobre el número de muertos, pero según el historiador persa del siglo XIII Yuzyani, una embajada del sah de Jorasmia que pasó por sus alrededores unos meses después encontró montañas de huesos, el terreno oleoso por la grasa humana quemada y varios de sus integrantes enfermaron por las miasmas que emanaban del gran número de cadáveres putrefactos. Aunque es posible que Yuzyani exagere, las víctimas debieron contarse en decenas de miles.

Los siguientes meses solo trajeron más desastres a los yurchen, y la captura de casi todas las ciudades del norte de la actual provincia de Hebei aisló a la corte Jin de sus posesiones en Manchuria donde, para empeorar las cosas, actuaba desde el año anterior un ejército mongol bajo el mando del capaz Mujali. Este, con la colaboración del rebelde kitan Yelu Liuge, estaba reduciendo una tras otra las ciudades yurchen de la zona. También se produjeron hambrunas y varios levantamientos de campesinos, entre los que destaca por su magnitud el de los llamados Túnicas Rojas, que llegaron a controlar parte de la provincia de Shandong. Ante el progresivo avance mongol, los yurchen reforzaron las defensas de su nueva capital, la ciudad de

Foto de las murallas exteriores de Pekín contruidas en el siglo XV bajo la dinastía Ming. Pese a haberse tomado en el invierno de 1940, esta imagen transmite el aspecto que debió ofrecer Zhongdu durante los innumerables asedios mongoles que sufrió. Solo falla un detalle en la foto, los mongoles jamás habrían acercado tanto uno de sus convoyes a la muralla, ya que los camellos están dentro del alcance de las armas de la fortificación.

ESCUDOS HUMANOS

Gracias a los numerosos desertores chinos que se les unieron, los mongoles aprendieron rápido a asediar ciudades. Normalmente, un asedio era una operación muy laboriosa que implicaba construir maquinaria especializada, rellenar fosos, cavar minas y muchos otros trabajos que requerían una gran cantidad de mano de obra. Los mongoles resolvieron este problema de una manera tan sencilla como cruel. Reunieron a la población civil de los alrededores de las ciudades, mujeres y niños incluidos, y la emplearon como mano de obra esclava. Pronto encontraron otra utilidad para aquellos pobres desgraciados: como escudos humanos tras los que protegerse al aproximarse a los muros de las fortificaciones. Gracias a esto reducían las bajas que se sufrían en los peligrosos asaltos y, en ocasiones, la posibilidad de obtener la negativa de los defensores a disparar contra sus compatriotas, cuando no sus propios parientes o amigos, permitía conquistar la presa más fácilmente. Esta práctica no se limitó a China y en las décadas siguientes los mongoles la utilizaron a menudo en otros países. Teniendo en cuenta que se conservan descripciones casi idénticas a las chinas de la utilización de escudos humanos para asaltar ciudades en lugares tan apartados como Rusia y el Próximo Oriente, no sería exagerado afirmar que este era uno de los rasgos distintivos del estilo mongol de hacer la guerra.

Kaifeng, reforzando la guarnición de las ciudades que la rodeaban. Además, el emperador Xuangzong estableció un sistema de recompensas y ascensos para los oficiales que fuesen capaces de derrotar a cualquier contingente mongol, con el objetivo de mejorar tanto la efectividad como la moral de sus tropas.

En agosto de ese año, 1215, Gengis Kan envió una nueva oferta de paz a la corte Jin, según la cual esta entregaría las pocas ciudades que aún conservaba en las provincias de Hebei y Shandong, y Xuangzong renunciaría a su título de emperador y se contentaría con el de rey de Henan. No sorprende que los Jin se negaran a aceptar unas condiciones tan duras. Tras haber dado descanso a sus caballos durante todo el verano, Gengis Kan movilizó en septiembre cuatro ejércitos para continuar la conquista de las tres provincias norteñas. Las deserciones habían alcanzado tales cotas que uno de ellos estaba compuesto casi en exclusiva por renegados chinos, dirigidos por oficiales mongoles. El panorama era bastante complejo ya que los mongoles debían reconquistar varias ciudades que habían tomado en campañas anteriores, pero que habían abandonado, mientras que algunas ciudades situadas cerca de la estepa como Xijing continuaban resistiendo. Entre las urbes conquistadas ese año destaca Daming, que fue tomada al asalto, mientras que Taiyuan fue sitiada sin éxito. Para febrero de 1216, los mongoles finalizaron las operaciones a gran escala y adoptaron una postura defensiva. En los meses siguientes, los yurchen obtuvieron algunos éxitos menores y recuperaron varias ciudades, pero cuando Gengis Kan regresó a Mongolia en la primavera de ese año la situación al norte del río Amarillo continuaba siendo grave. El conquistador mongol volvió a la estepa tras ser informado de que el hermano del difunto caudillo merkit Toqtoa, llamado Kodu, estaba preparando un levantamiento. Su intención era que la ausencia del teatro de operaciones chino solo fuera temporal, pero una cadena de acontecimientos se combinarían para conseguir que Gengis Kan no volviera a China durante diez años.

6

El terror como estrategia: conquista y destrucción de Jorasmia

Tras su regreso a la estepa, Gengis Kan se encargó de restablecer el control sobre los pueblos de cazadores de los bosques, que se había debilitado durante los diez años de guerras en el norte de China. Primero organizó una expedición para derrotar a los merkit antes de que estos pudieran rebelarse. Puesta bajo la dirección de los generales Subetei y Tokuchar, este último casado con una hija de Gengis Kan, sus órdenes eran no solo abortar la rebelión, sino exterminar a los sublevados. En el año 1217 se ejecutó el ataque y los merkit dejaron de existir como pueblo. A continuación mandó una expedición contra los tumat, que no solo se habían negado a entregar treinta mujeres a un noble mongol como se les había ordenado, sino que lo habían capturado y habían derrotado al contingente enviado para liberarlo. Estos enfrentamientos mostraron las dificultades que tenía la caballería mongola para luchar en los bosques del norte, pero también su perseverancia, ya que una nueva expedición consiguió sorprender a los tumat y rescatar a los prisioneros. Por último, Gengis

Kan envió una expedición para someter definitivamente a los oirat y los kirguises, que fue un éxito.

En 1218 una serie de acontecimientos hicieron
que el Imperio mongol se implicara en los asuntos de
Asia Central y del islam. Para el estudio de esta nueva
fase en la expansión del Imperio mongol disponemos
de las obras de un nutrido grupo de autores musulmanes, ya fuesen contemporáneos de los acontecimientos
como Yuzyani, escribiesen con posterioridad durante la
segunda mitad del siglo XIII, como Yuvayni, o a principios del siglo XIV, como Rashid al-Din.

EL IMPERIO KARA-KITAI

En el capítulo anterior vimos cómo una rebelión
de los yurchen puso fin al Imperio kitan en el 1125. Un
año antes, un miembro de la dinastía Liao llamado
Dashi rompió con el último emperador kitan, asumió el
título real de *wang* y con un puñado de seguidores se
internó en la estepa mongola. Su objetivo era acumular
fuerzas y regresar para expulsar a los yurchen, y se
dirigió a Kedun, un puesto fortificado erigido por los
kitan en el corazón de Mongolia para controlar a los
nómadas. Debido a su remota ubicación, a orillas del
río Orjon, no lejos de donde nacería Temujin unos
cuarenta años más tarde, Kedun no había sido conquistado por los triunfantes yurchen y contaba con una
guarnición de varios miles de hombres. En cuatro años
y gracias a que atrajo a unos diez mil guerreros de
varias tribus nómadas, formó un ejército. Un logro
notable si tenemos en cuenta que había partido casi de
cero, pero insuficiente ya que durante ese tiempo los
yurchen se habían apoderado no solo de los territorios
kitan, sino también de todo el norte de China y eran
demasiado fuertes como para enfrentarse a ellos. Dashi
comprendió que necesitaba una base de poder más

sólida para intentar restaurar el Imperio kitan y para ello partió en el 1130 con sus seguidores hacia occidente en dirección a Asia Central, con la intención de conseguir nuevas tierras. En aquel momento la zona estaba dividida en tres reinos. En el Turfan, situado en el actual Xinjiang chino, se encontraba el reino uigur de Gaochang, uno de los tres fundados por aristócratas uigures tras la caída de su Imperio en el año 840 como vimos en el tercer capítulo. Más al oeste estaba situado el janato de los karajánidas, fundado por una dinastía de origen nómada a mediados del siglo X y que se había dividido en dos janatos independientes desde el 1030. El oriental ocupaba las zonas de Balasaghun y Kashgar, que comprendían el sur de lo que hoy son Kazajistán, Kirguizistán y el oeste del Xinjiang, mientras que el janato karajánida occidental se extendía por la región de Mawarannar, situada entre los ríos Syr Darya y Amu Darya, la antigua Transoxiana grecoromana, en el actual Uzbekistán. Asia Central había experimentado la llegada de diferentes pueblos de pastores nómadas desde el siglo VII, como los karluk, los oguz y los qangli, que tenían en común hablar lenguas turcas y que se habían islamizado. Algunos se habían infiltrado como inmigrantes mientras que otros llegaron como conquistadores fundando dinastías, como las de los Gaznavíes, los Selyúcidas o los Karajánidas. Una particularidad de la zona era que las poblaciones de pastores nómadas y de agricultores sedentarios vivían en contacto, y a menudo en conflicto, ya que muchas tierras eran aptas tanto para el pastoreo nómada como para la agricultura, al contrario que en China y Mongolia, donde la diferenciación entre estepa y tierras de cultivo era, en líneas generales, más clara.

Tras atravesar el reino uigur, cuyo gobernante le prestó vasallaje, Dashi y su heterogéneo ejército invadieron en el verano de 1131 el janato karajánida oriental, pero fueron derrotados en las cercanías de Kashgar.

Obligado a regresar a su base de Kedun, el fracaso de una expedición yurchen destinada a eliminarle, probablemente más por problemas logísticos que por la acción de Dashi y sus guerreros, le reportó un gran prestigio y, según las fuentes, se le unieron cuarenta mil guerreros nómadas junto con sus familias. Aprovechando la situación se hizo coronar como *gurjan*, jan universal, y como emperador chino, perpetuando la tradición dual de los Liao. Con el refuerzo de sus nuevas tropas volvió a Asia Central y se hizo con el control de la zona alrededor de las ciudades de Qayaliq y Almaliq, en la región de Semiryechye, entre 1132 y 1133. Al año siguiente, su fortuna cambió radicalmente cuando el jan karajánida oriental le pidió ayuda para controlar a su propio ejército formado por nómadas karluk y qangli. Dashi respondió a su petición, pero inmediatamente después se hizo con el control del reino. En 1137 infligió una gran derrota a los karajánidas occidentales en la batalla de Joyend, pero pese a los temores de estos no invadió su territorio. Tras cuatro años de incómoda vecindad la situación se resolvió en 1141, cuando los karajánidas consiguieron implicar al sultán Sanjar, de la dinastía Selyúcida, del cual eran vasallos, en el enfrentamiento. En septiembre de ese año se produjo una gran batalla en las cercanías de Samarcanda, donde los karajánidas y sus aliados selyúcidas sufrieron una tremenda derrota. El sultán Sanjar escapó a duras penas pero su esposa fue capturada y Dashi se apoderó del janato karajánida occidental. Estas incorporaciones probablemente colmaron las ambiciones territoriales del exiliado kitan, pero en los meses siguientes Atsiz, sah de Jorasmia y vasallo nominal pero problemático de Sanjar, aprovechó la derrota de su señor para atacar la provincia persa del Jorasán. Ya que tanto Jorasmia como el Jorasán colindaban con sus nuevas adquisiciones, Dashi debió creer conveniente contener a este inquieto

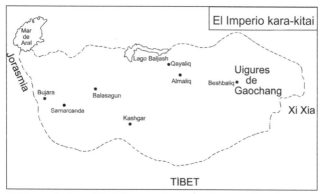

El Imperio kara-kitai fue creado en un tiempo récord por su fundador, el príncipe kitan exiliado Dashi, y se extendía por la mayor parte de la actual Asia Central.

vecino y el 1142 envió un ejército a Jorasmia que saqueó el territorio y obligó a Atsiz a reconocerse vasallo suyo y a pagar un tributo anual.

Cuando Dashi murió en 1143, su nuevo Imperio se extendía por Mawarannar, Fergana, Semiryechye, la cuenca del Tarim y la cordillera de Tianshan, o, expresado en términos modernos, la mayor parte de Xinjiang, Kirguizistán, Uzbekistán, Tayikistán y el sur de Kazajistán; y podía rivalizar en poder con el Imperio yurchen o con la China de los Song. El nuevo estado es conocido como Xi Liao, Liao Occidental, en las fuentes chinas, pero nosotros utilizaremos la denominación de las fuentes islámicas, el Imperio de los *kara-kitai*, o lo que es lo mismo, de los 'kitan negros'. Pese a que las posibilidades de volver a China y restaurar el Imperio kitan eran cada vez más remotas, Dashi había protagonizado una epopeya impresionante. Al refugiarse en la estepa en el 1124 nadie hubiera apostado por sus posibilidades de futuro, pero el kitan había conseguido forjar de la nada un poderoso Imperio en un par de décadas. El Imperio kara-kitai destacó por

La leyenda del Preste Juan

Durante la primera mitad del siglo XII se extendieron por Europa rumores que hablaban de la existencia de un poderoso monarca cristiano, el Preste Juan, situado en la retaguardia del islam. Se le situaba en la India, que para los europeos del momento era una denominación geográfica bastante imprecisa, pero todos los rumores coincidían en que se disponía a ayudar a los cristianos europeos en su lucha contra el islam. Aunque es imposible trazar el origen del mito, el primer hecho histórico con el que se puede relacionar es la batalla entre el sultán Sanjar y Dashi, en el 1141. Un eco distorsionado de esta derrota del monarca musulmán más poderoso del momento a manos de un enemigo budista habría llegado a los territorios cruzados de Tierra Santa. Durante las décadas siguientes otras noticias, como la existencia de un poderoso gobernante cristiano en la estepa, Togril-Ong jan, que era cristiano nestoriano, continuarían alimentando el mito. En 1221 los ejércitos cristianos que participaban en la quinta cruzada en Egipto recibieron la noticia de que un cierto rey David, que inmediatamente fue identificado como el hijo o el nieto del Preste Juan, había conquistado Persia y se dirigía a Palestina para unirse al combate contra los musulmanes. Persia estaba siendo arrebatada a los musulmanes, en efecto, pero por un monarca llamado Temujin y no David. En pocos años los europeos salieron de su error con respecto a los mongoles, pero la leyenda del Preste Juan sobrevivió, de una manera u otra, hasta bien entrado el siglo XVII.

mantener a las antiguas élites locales en sus puestos de poder y, en la práctica, estuvo dividido en dos zonas: de un lado, el centro del Imperio, controlado directamente por los kara-kitai y los reinos vasallos de los uigures de Gaochang, karajánidas orientales y occidentales; y de otro, Jorasmia, gobernada por sus propias dinastías, las cuales aceptaban representantes del *gurjan* y le pagaban tributo.

Relatar en detalle la historia del Imperio karakitai durante el resto del siglo XII excede los objetivos de la presente obra. Baste con decir que el nuevo Imperio se consolidó y que se fue implicando cada vez más en la enmarañada política de la zona participando en las luchas entre sus vasallos jorasmios y la dinastía islámica de los Gúridas, procedentes del actual Afganistán, por el control del Jorasán. El último *gurjan* kara-kitai fue Zhilagu, nieto de Dashi, que ascendió al trono en el 1178. Su largo reinado contempló la erosión del poder real tanto frente a su propia administración, muchos de cuyos corruptos funcionarios explotaron a los contribuyentes en su beneficio, como ante nuevas amenazas exteriores, una de ellas la de los cada vez más independientes sahs de Jorasmia. En 1200, Mohamed II ascendió al trono de Jorasmia y reanudó la guerra contra los Gúridas. Tras seis años de guerra y gracias en parte al apoyo que le proporcionó Zhilagu, el nuevo sah de Jorasmia derrotó a los Gúridas destruyendo su reino. De esta manera pudo apoderarse no solo del Jorasán, sino también de buena parte del actual Afganistán. Este éxito le colocó en una situación incómoda ya que por una parte era el príncipe musulmán más poderoso de la zona, pero por la otra se reconocía vasallo de un soberano pagano, el *gurjan* Zhilagu que, como la mayoría de los kitan, era budista. En 1207 se precipitaron los acontecimientos cuando se produjo un levantamiento en Bujara contra los Burhan, el linaje karajánida que gobernaba la ciudad. En un primer momento, estos pidieron ayuda a su señor el *gurjan* Zhilagu para recuperar el control de la ciudad pero, tras obtener solo buenas palabras y ningún apoyo material, recurrieron a Mohamed II. Este

entró en Mawarannar a la cabeza de sus tropas y resti-
tuyó a los Barhun en Bujara, pero no se detuvo allí,
sino que avanzó hasta Samarcanda donde dejó a uno
de sus comandantes como representante. Su intromi-
sión en un territorio vasallo de los kara-kitai significaba la guerra y fue inmediatamente contestada por un
ejército enviado por el *gurjan*.

LA CONQUISTA DEL IMPERIO KARA-KITAI

Mientras esto sucedía, el Imperio kara-kitai iba a
sufrir las consecuencias indirectas de la unificación de
la estepa por Gengis Kan. Como vimos en el capítulo
cuarto, el gobernante de los naiman, Tayang jan, fue
derrotado y muerto en 1204. Su hijo Guchulug escapó
con vida y se refugió con su tío a orillas del río Irtysh,
pero este también fue atacado por los mongoles en
1208. Guchulug se vio forzado nuevamente a huir y,
tras vagar por la cuenca del Tarim a finales de ese
mismo año, pidió asilo al *gurjan* de los kara-kitai. Este
tomó la decisión, que posteriormente le resultaría fatal,
de acogerlo y Guchulug consiguió ganarse su confianza hasta tal punto que Zhilagu lo casó con una de sus
propias hijas. Tras percatarse de la precaria situación
del anciano *gurjan*, el exiliado le pidió si podía reunir
a todos los naiman que habían huido de los mongoles,
a lo que Zhilagu incautamente accedió. Con el respaldo de estos nuevos seguidores y de varios jefes del
ejército kara-kitai, que probablemente preferían un
comandante más joven y enérgico para hacer frente a
los múltiples peligros que acosaban al Imperio,
Guchulug conspiró para derrocar a Zhilagu. No está
clara la naturaleza exacta de la relación entre el exiliado
príncipe naiman y el sah de Jorasmia Mohamed II, pero
parece que pactaron atacar conjuntamente al *gurjan*
kara-kitai. En 1210 Guchulug se apoderó del tesoro

imperial y avanzó con su ejército contra las tropas fieles a Zhilagu, mientras Mohamed II atacaba nuevamente Samarcanda. En Mawarannar el ejército jorasmio se enfrentó a los kara-kitai en una batalla que terminó en tablas, pero tras la cual los kitan debieron retirarse precipitadamente. Por su parte, Guchulug atacó al *gurjan* en las cercanías de la ciudad de Balasagun, pero fue derrotado y obligado a huir hacia el norte. El deterioro de la situación del Imperio se hizo patente cuando los habitantes musulmanes de Balasagun se negaron a abrir las puertas de su ciudad a Zhilagu tras la batalla, en la creencia de que Mohamed II los rescataría en breve. Pero la ayuda jorasmia nunca llegó y el indignado *gurjan* ordenó a sus tropas asaltar la ciudad y masacrar a sus habitantes. Por su parte, el sah de Jorasmia aprovechó que los kara-kitai estaban ocupados con la sublevación de Guchulug para apoderarse de la mayor parte de Mawarannar. En el otoño de 1211 la situación dio un vuelco dramático cuando Guchulug tendió una emboscada a Zhilagu y lo capturó.

Decidido a usurpar el trono, se apoderó de los títulos de Zhilagu, casó a su hijo con una princesa imperial y adoptó las ropas y costumbres de los kitan, convirtiéndose también al budismo. Precisamente su política religiosa acabaría por granjearle la hostilidad de la mayoría de sus súbditos. De manera sorprendente, Guchulug optó por una agresiva política contra la religión musulmana, profesada por la mayoría de la población, en virtud de la cual prohibió las manifestaciones públicas de su culto e incluso recurrió a conversiones forzadas al budismo y al cristianismo. Rompía así con la tradición de tolerancia que habían mantenido los gobernantes kara-kitai hacia sus súbditos musulmanes durante casi un siglo. Pero la religión no fue el único elemento que alienó a la población. En el Imperio kara-kitai, como en otros muchos estados,

El truncado minarete de una mezquita del siglo XI es el resto
más visible, en la actualidad, de Balasagun. La ciudad fue la
capital del janato karajánida oriental y, tras su
conquista por Dashi, la urbe más importante del Imperio
kara-kitai. Fue atacada en 1210 por el *gurjan* Zhilagu.

convivían en delicado equilibrio una mayoritaria población sedentaria con una minoría de pastores nómadas. Como hemos visto varias veces, las necesidades de la agricultura y del nomadismo pastoral son muy diferentes y armonizarlas dentro de un mismo estado requería de un complicado encaje de bolillos. Los *gurjan* Liao, con el bagaje que les proporcionaba la administración dual del Imperio kitan, habían estado capacitados para mantener este delicado balance. Guchulug por su parte, al ser un nómada puro sin contacto previo con la civilización urbana, no solo no fue capaz de continuar regulando el sistema, sino que fue él mismo quien lo destruyó priorizando las necesidades de los nómadas a costa de los sedentarios, ganádose así la hostilidad de buena parte de la población.

La usurpación de Guchulug no pasó desapercibida en la corte mongola. Pese a la pérdida de Mawarannar, ocupado por Mohamed II, y del reino uigur de Gaochang, que había entrado en la órbita de poder mongol en 1209, el Imperio kara-kitai aún era lo bastante fuerte como para representar una amenaza para los mongoles. Pero el peligro más grave era potencial, ya que un estado cuya frontera norte limitaba con el territorio de los recientemente sometidos naiman y gobernado por un príncipe del antiguo clan real naiman hubiera podido fomentar fácilmente una rebelión en la estepa. Y ese era un peligro que Gengis Kan no estaba dispuesto a correr. Cuando Guchulug se hizo con el poder, los mongoles acababan de comenzar sus ataques contra el Imperio yurchen, así que no pudieron ocuparse inmediatamente de esta nueva amenaza, pero en 1218 Gengis Kan se sintió lo bastante fuerte como para enviar un ejército para acabar con su antiguo rival. Mandado por el general Jebe y con la ayuda de contingentes auxiliares de uigures y karluk, cuyo jan había jurado fidelidad a Gengis

Kan ocho años antes, el contingente mongol invadió el Imperio de Guchulug desde el norte. Como de costumbre, el conquistador mongol tenía un profundo conocimiento de la situación de su objetivo y confiaba en poder aprovechar el profundo malestar de los habitantes del Imperio. Para ello había dado órdenes estrictas de que no se produjeran saqueos ni ninguna violencia contra la población civil. Jebe derrotó a un ejército de treinta mil kara-kitai en las cercanías de Balasagun y, en ese momento, se hizo patente la fragilidad de la posición de Guchulug. Varias urbes abrieron sus puertas a los mongoles y Guchulug, asustado, huyó hacia el sur, a la ciudad de Kashgar. Hasta allí lo persiguió Jebe, quien difundió una proclama de Gengis Kan en la que se afirmaba que cada hombre era libre de escoger su religión, lo que aumentó el número de partidarios de los mongoles. La conquista del Imperio kara-kitai supuso un inusual contrapunto a la manera habitual de guerrear de los mongoles. En vez de la sucesión de destrucciones y pillaje que habían caracterizado los ataques a Xi Xia y al Imperio yurchen, los mongoles se comportaron con una contención remarcable. Las escenas de matanzas de civiles y de ciudades arrasadas fueron sustituidas por otras de multitudes que aclamaban a los mongoles como libertadores. Quizás lo más sorprendente de todo es la disciplina de unas tropas acostumbradas a tener un «cheque en blanco» a la hora de comportarse, pero que cumplieron las nuevas órdenes a rajatabla. Finalmente, un cada vez más desesperado Guchulug huyó al Badajsan, en el curso superior del Amu Darya, donde fue capturado y ejecutado por Jebe. Moría de esta manera el último adversario nómada de Gengis Kan, y el Imperio de este entraba en contacto con un nuevo vecino, el poderoso estado del sah de Jorasmia.

EL IMPERIO JORASMIO

La dinastía de sah de Jorasmia había prosperado enormemente desde mediados del siglo XII. Pese a alternar su sumisión entre los selyúcidas y los kara-kitai y a su condición de vasallos, consiguieron acrecentar sus posesiones más allá de su provincia originaria de Jorasmia. Este proceso se aceleró durante el reinado de Mohamed II y, para entonces, su estado se había convertido en un poderoso Imperio que comprendía la provincia original de Jorasmia centrada en el delta del Amu Darya, y territorios que abarcaban todo el actual Irán, Turkmenistán, Uzbekistán y parte de Kazajistán, Afganistán, Tayikistán y Kirguizistán.

El Imperio era un heterogéneo conglomerado de territorios, varios de ellos incorporados hacía pocos años, y aunque en apariencia poderoso, estaba minado por un sinfín de disensiones internas. La población originaria, aplastada por los impuestos, se sentía separada de las clases dirigentes de origen nómada y estas a su vez estaban divididas entre sí, ya que Mohamed II se había ganado la hostilidad de buena parte de la aristocracia con una política centralizadora destinada a reforzar su poder. En realidad, el sah no controlaba totalmente ni siquiera a su propia familia ya que su madre, Terken, ejercía una poderosa influencia en el Imperio. De origen qangli, una de las confederaciones tribales de los nómadas kipchak, esta mujer gobernaba la provincia de Jorasmia de manera cuasi independiente y la fidelidad de los contingentes de guerreros qangli, que constituían una gran parte de las tropas de Mohamed II, le confería un gran poder.

Anverso y reverso de una moneda de bronce jorasmia acuñada en el reinado de Mohamed II (1200-1220). Durante esos años Jorasmia se liberó de su vasallaje al Imperio kara-kitai y se convirtió en el estado más poderoso de Asia Central. Tras las apariencias de grandeza se ocultaban numerosas debilidades internas que dificultaron enormemente la creación de una defensa eficaz contra el ataque mongol.

177

LA GUERRA

El primer contacto directo entre Mohamed II y Gengis Kan se produjo a finales de 1215 o principios de 1216, cuando el primero envió una caravana comercial a Zhongdu. El conquistador mongol estaba deseoso de mantener relaciones amistosas con su poderoso vecino, de modo que en la primavera de 1218 respondió con una caravana compuesta por unos cuatrocientos cincuenta comerciantes y quinientos camellos, que además llevaban lujosos presentes para el sah de Jorasmia. Cuando esta llegó a la ciudad fronteriza de Otrar, el gobernador de la urbe, Inal jan, mandó ejecutar a los comerciantes acusándolos de ser espías y confiscó todos sus bienes. Aunque no sabemos si esta orden partió de Mohamed II, algunas fuentes acusan a Inal jan de actuar movido por la codicia. En cualquier caso, la recogida de información sobre enemigos o rivales potenciales a través de comerciantes era una práctica habitual de los mongoles. Todos los integrantes de la caravana eran comerciantes musulmanes pero, al estar bajo la protección de Gengis Kan, este no podía obviar el incidente. Fuese como fuese, el conquistador mongol no debía desear un enfrentamiento, al menos a corto plazo, con Mohamed II, ya que se limitó a exigir la entrega de Inal jan para poder castigarlo. El sah de Jorasmia no solo rechazó la petición, sino que cometió el error de asesinar a los enviados mongoles. El asesinato de un embajador ha sido una provocación diplomática en cualquier época, pero para los mongoles, que trataban con gran respeto a los emisarios extranjeros, era un insulto intolerable. Sin más opciones y pese a tener un frente abierto contra los yurchen en el norte de China, Gengis Kan se preparó para atacar al Imperio jorasmio.

Pasó el verano de 1219 concentrando sus tropas a orillas del río Irtysh y, a principios de otoño, Gengis

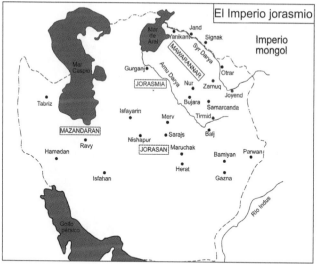

Mapa del Imperio jorasmio en vísperas del ataque mongol de 1219. Los territorios marcados como Imperio mongol corresponden a la frontera oriental del antiguo Imperio kara-kitai, recién absorbido por los mongoles.

Kan se puso en marcha, y atravesó la estepa del actual Kazajistán a la cabeza de un ejército sobre cuyo tamaño no nos informan las fuentes, pero que los historiadores modernos cifran entre noventa mil y ciento cincuenta mil hombres. Mientras, Mohamed II había hecho sus propios preparativos. Reunido en consejo de guerra con sus principales comandantes y su hijo Jalal al-Din, discutió la estrategia más acertada. Se propusieron diferentes estrategias para hacer frente al inminente ataque mongol. La primera, enfrentarse a los mongoles en la misma frontera para aprovechar que estarían cansados tras el viaje, opción preferida por el combativo Jalal al-Din. La segunda, permitir a los mongoles adentrarse en Mawarannar y destruirlos en el

Las dunas de arena del desierto del Kizil Kum, en el actual Uzbekistán. Gengis Kan pudo atravesarlas gracias a la colaboración de nómadas turkmenos que le sirvieron como guías y aparecer con su ejército en la retaguardia de Mohamed II, donde nadie lo esperaba.

interior de la provincia, aprovechando el mejor conocimiento del terreno. También se habló de abandonar todo Mawarannar y esperar a los mongoles en los pasos del río Amu Darya y, finalmente, la propuesta más pesimista de todas que consistía en retirarse a la remota Gazna situada al otro lado de la cordillera del Hindu Kush y que permitía una fácil huida a la India. A la hora de la verdad, Mohamed II decidió dejar varias guarniciones muy potentes en las ciudades de Mawarannar y retirarse a Balj, en el Jorasán, para reclutar más tropas. Probablemente el miedo a que el general que pudiera derrotar a los mongoles utilizara a continuación las tropas y el prestigio obtenido para

Lienzo de muralla de la ciudadela de Bujara. Aunque posterior a la conquista mongola, proporciona una buena idea de las fortificaciones de ladrillo a las que tuvieron que hacer frente los mongoles. Gracias a los conocimientos y a los ingenieros adquiridos en China, las tropas de Gengis Kan conquistaron una tras otra las fortificaciones jorasmias.

derrocarle influyó en la decisión del sah de Jorasmia. Es posible que creyera que las ciudades amuralladas del Mawarannar frenarían y desgastarían a los invasores, creando la oportunidad para que fuesen destruidos en un contraataque, pero el curso de los acontecimientos le demostrarían cuán equivocado estaba. Gengis Kan se presentó ante las murallas de Otrar, a orillas del Syr Darya, en el otoño de 1219, e inmediatamente comenzó las operaciones de asedio ya que, gracias a la presencia de un buen número de ingenieros chinos, su ejército estaba perfectamente capacitado para tomar fortalezas. Tras esperar varias semanas y comprender que Mohamed no tenía ninguna intención de defender la frontera oriental de su Imperio, el conquistador mongol dividió sus tropas en cuatro contingentes. El primero, comandado por sus hijos Chagadai y Ogodei, continuó el asedio de Otrar. El segundo, dirigido por su primogénito Jochi, marchó al norte con la misión de tomar las ciudades del curso inferior del Syr Darya. Un pequeño destacamento de cinco mil guerreros marchó río arriba y, finalmente, el contingente principal, mandado por él mismo acompañado de su otro hijo Tolui, se adentró en Mawarannar. Su primer objetivo fue la pequeña ciudad de Zarnuq, que se rindió sin luchar y no fue destruida. En sus cercanías se le unieron un grupo de nómadas de la zona, turcomanos, que se ofrecieron a servirle como guías. Gracias a ellos, en vez de verse obligado a seguir directamente hacia Samarcanda, la capital de Mohamed II donde este había reunido un importante ejército bajo su mando, sorprendió a su enemigo con un movimiento totalmente inesperado. El mongol dirigió a su ejército en un amplio arco hacia el oeste y, tras atravesar el desierto del Kizil Kum, se presentó por sorpresa ante los muros de la ciudad de Nur. Sus habitantes, que creían estar a salvo tras el desierto, se rindieron y también fueron respetados. Desde allí Gengis Kan continuó hasta la ciudad de Bujara, a la cual llegó en febrero de 1220. Esta maniobra fue la más brillante de toda la guerra y con ella consiguió aislar Samarcanda de las provincias del Jorasán y Jorasmia. Bujara contaba con una guarnición de más de treinta mil hombres, que al tercer día de asedio se abalanzó contra los mongoles. No queda claro si su intención era realizar una salida para dañar al ejército sitiador o si simplemente querían romper el cerco y huir. Fuese cual fuese su objetivo, fueron derrotados y solo un puñado consiguió escapar. Al día siguiente, una representación de los imanes de la ciudad, que había sido abandonada por su guarnición, ofreció la rendición, con la excepción de la ciudadela donde cuatrocientos irreductibles se hicieron fuertes. Los mongoles obligaron a los habitantes de Bujara a abandonar la ciudad que saquearon a conciencia. Su población fue dividida. Los artesanos fueron enviados a Mongolia y los hombres jóvenes capturados para trabajar en los asedios. Su primera tarea fue rellenar el foso que defendía la ciudadela, lo que permitió a los mongoles asaltarla.

Con Bujara anulada, Gengis Kan se dirigió por fin a Samarcanda, donde llegó en marzo. La capital del Imperio jorasmio tenía una numerosa guarnición compuesta por cincuenta mil hombres de la milicia local, reforzados por treinta mil guerreros qangli. Mohamed II había abandonado la ciudad al conocer la caída de Bujara, pero había reforzado sus fortificaciones con anterioridad. Los mongoles desplegaron sus tropas ante la ciudad y, para que parecieran más numerosas, formaron a los prisioneros capturados en Bujara en grupos y les obligaron a enarbolar estandartes y banderas. Al tercer día de asedio, la milicia de la ciudad realizó una salida en masa, pero sus hombres fueron atraídos a una trampa y en su mayoría perecieron. Dos días más tarde, las autoridades religiosas de la ciudad ofrecieron su rendición a Gengis Kan. Sus habitantes fueron conducidos al exterior para que los mongoles pudieran saquear la ciudad con más comodidad. Cincuenta mil personas que estaban bajo la protección de los imanes pudieron quedarse pero el resto fue expulsado. Como en Bujara, los artesanos fueron enviados a Mongolia, para fabricar las manufacturas sedentarias a las que tanto se estaban aficionando sus conquistadores, y los hombres jóvenes capturados como mano de obra. Los treinta mil guerreros qangli ofrecieron sus servicios a Gengis Kan, que fingió aceptarlos, solo para conducirlos fuera de la ciudad y ejecutarlos. El comportamiento de Gengis Kan en estas urbes marcó el tono del tratamiento a las ciudades durante el resto de campaña. Si una urbe se rendía, era saqueada, pero se respetaba la vida de sus habitantes. Por otra parte, cuanto más se resistiese una ciudad, más cruel era la represalia de los mongoles. Las tropas de Gengis Kan tuvieron un comportamiento aún más feroz que en China y puede hablarse de la utilización a gran escala de una estrategia de terror, que implicaba asesinatos masivos, escudos humanos y destrucciones generalizadas, con el objetivo de reducir la resistencia del enemigo.

Mientras el ejército principal penetraba profundamente en Mawarannar, los otros destacamentos también habían tenido éxito. Jochi había descendido por el Syr Darya hacia la ciudad de Signak. Ofreció la rendición a sus habitantes, pero estos cometieron el error de asesinar a su emisario, un comerciante musulmán, por lo que asaltó la población y, según las fuentes, masacró a todos sus habitantes. Continuó río abajo precedido por las noticias sobre la carnicería de Signak, y ocupó una tras otra las ciudades de Uzgand, Barjalikand y Ashand. Llegó a Jand a mediados de abril solo para descubrir que la guarnición había huido y que los habitantes le abrían las puertas. Jochi les ordenó que abandonaran la ciudad y esta fue saqueada durante nueve días, pero perdonó sus vidas. Tras enviar un destacamento para ocupar la ciudad de Janikant, que no opuso resistencia, Jochi permaneció a la defensiva en el curso inferior del Syr Darya todo lo que quedaba del año.

Por su parte, Chagadai y Ogodei habían continuado con el asedio a Otrar. Defendida por el mismo Inal jan que había iniciado la guerra matando a los mercaderes, la ciudad se defendió a ultranza, pero tras cinco largos meses cayó en manos de los mongoles. Sus habitantes fueron asesinados y la ciudad saqueada. No obstante, el asedio continuó durante un mes más, ya que parte de la guarnición se había refugiado en la ciudadela. Finalmente Inal jan fue capturado y ajusticiado, según una versión vertiendo plata líquida en sus ojos y oídos como castigo a su codicia. A continuación Chagadai y Ogodei se reunieron con su padre en Samarcanda.

En la primavera de 1220 y tras medio año de guerra el panorama no podía ser más brillante para los mongoles. Habían conquistado la totalidad de Mawarannar, Mohamed II había huido, no parecía haber ningún tipo de resistencia organizada a la invasión y el Imperio jorasmio comenzaba a mostrar síntomas de descomposición. Aunque no se sabe con seguridad cuál era el objetivo inicial de Gengis Kan, ¿quizás se hubiera dado por satisfecho conquistando Mawarannar de haber encontrado una resistencia más firme?, es evidente que la situación del estado de Mohamed II, que había pasado de parecer un poderoso imperio a un decorado de cartón piedra en unos pocos meses, debió incitar al mongol a continuar con la conquista. En cualquier caso, a partir de ese momento el conquistador mongol adoptó un rol secundario en la guerra, y encargó a sus hijos continuar la conquista. Desde Samarcanda envió un contingente a tomar Joyend, única ciudad de importancia que permanecía sin ocupar a su retaguardia, mientras que Arslan, el jan de los karluk, condujo un destacamento contra la ciudad de Balj, en el actual Afganistán, que se le resistiría durante ocho meses. Pero nada más llegar a Samarcanda ya había puesto en marcha dos operaciones. En la primera encargó a su general Tokuchar entrar en la provincia persa del Jorasán y crear una pantalla de patrullas para evitar la posible huida de fugitivos procedentes de Mawarannar o de la provincia de Jorasmia.

A la caza de Mohamed II

La segunda operación consistía, ni más ni menos, que en perseguir al fugitivo Mohamed II allá donde fuese y capturarlo. Los encargados de cumplir esta misión, tan importante como arriesgada, fueron los generales Jebe y Subetei, que dispusieron de un destacamento de unos veinte mil guerreros. Tras huir de Samarcanda, Mohamed II se dirigió a Nishapur, en el Jorasán, pasando por la ciudad de Balj. Allí se enteró de que un ejército mongol le perseguía y partió hacia la ciudad de Ravy, en la región de Mazandaran, situada en el norte del actual Irán, haciendo escala en Isfarayin. Al poco de escapar Mohamed II, Jebe y Subetei se presentaron ante Nishapur, que se rindió sin luchar, pero aquí perdieron el rastro del sah y se dividieron para cubrir más terreno. Mohamed II por su parte abandonó Ravy al poco tiempo para dirigirse a Qazdun, donde se reunió con su hijo Ruk al-Din, que disponía de un ejército de treinta mil hombres. Perseguido de cerca por los mongoles que habían encontrado su rastro en Ravy, el sah de Jorasmia se enfrentó con las tropas de Jebe en las cercanías de Hamadan. Pese a la gran ventaja numérica de su ejército, Mohamed II huyó de la batalla al poco de comenzar lo que causó la derrota de sus tropas. Acompañado de sus hijos y un puñado de seguidores cruzó los montes Elburz, donde los mongoles volvieron a perderle el rastro y, al llegar al mar Caspio, se escondió en una de las islas cercanas a la costa. Allí, enfermo y agotado tras meses de persecución, murió Mohamed II, sah de Jorasmia, en diciembre de 1220 o enero de 1221.

LA EXPEDICIÓN DE JEBE Y SUBETEI

Tras conocer la muerte de Mohamed II, sus perseguidores obtuvieron permiso de Gengis Kan para realizar una expedición de exploración de los territorios situados al norte del Imperio jorasmio. En marzo de 1221 penetraron en el reino cristiano de Georgia y saquearon parte del sur del país. A continuación atravesaron la cadena montañosa del Cáucaso, pasada la cual les esperaba un ejército formado por montañeses alanos y cherkes y nómadas kipchak. Tras derrotarlos penetraron en las estepas del sur de las actuales Rusia y Ucrania, empujando ante sí a más grupos de kipchak. Estos se retiraron en dirección a las tierras de sus aliados del Rus de Kiev y, tras pedirles ayuda en la primavera de 1222, formaron un gran ejército conjunto. Jebe y Subetei, uno de cuyos destacamentos se había desviado a la península de Crimea para saquear los enclaves comerciales genoveses y venecianos, utilizaron la táctica de la retirada estratégica e infligieron una estrepitosa derrota a sus perseguidores en la batalla del río Kalka. Los mongoles continuaron su expedición y a finales de 1222 atacaron el reino de los búlgaros del Volga, donde fueron rechazados, tras lo cual, en algún momento de la primera mitad de 1223, se reunieron con Gengis Kan en la estepa kazaja. Su incursión durante dos años, atravesando más de 6.500 km de territorio hostil, derrotando a varios enemigos y regresando cargados de botín, es una de las mayores gestas de la historia militar.

Esta miniatura persa, procedente de un manuscrito de Rashid al-Din y datado en el siglo XIV, muestra a Gengis Kan persiguiendo a sus enemigos. La persecución de Mohamed II por parte de Jebe y Subetei, que acosaron a su presa durante meses a través de territorio enemigo, fue una gran hazaña militar, empequeñecida inmediatamente por su posterior incursión en el Cáucaso y las estepas occidentales.

La conquista de Jorasmia y el Jorasán

Gengis Kan permaneció el verano de 1220 en el oasis de Najshab para dar descanso a sus monturas. A comienzos del otoño cruzó el Amu Darya y se dirigió a la ciudad de Tirmid, en la actual frontera entre Uzbekistán y Afganistán. Ofreció a sus habitantes la posibilidad de rendirse y, ante su rechazo, los mongoles comenzaron las operaciones de asedio. En tan solo once días consiguieron entrar en la ciudad y ordenaron a la población que abandonara sus casas. Los mongoles decidieron masacrar a los habitantes, para lo cual los dividieron en grupos, siendo entregado cada grupo a un guerrero mongol encargado de matar a todos sus miembros. Tras concluir la siniestra venganza, sus tropas saquearon y destruyeron la ciudad. A continuación, Gengis Kan dividió una vez más su ejército. Chagadai y Ogodei fueron enviados a atacar el corazón del Imperio de Mohamed II, la provincia de Jorasmia. Mientras que Tolui se dirigió al Jorasán para reforzar a las tropas mongolas que actuaban en la región desde hacía medio año. El propio conquistador mongol condujo a las tropas restantes a la cuenca del río Vajsh, donde pasó el invierno de 1220 a 1221 ocupado en reducir varios castillos de montaña.

El principal objetivo de los mongoles en la provincia de Jorasmia era su capital, Gurganj. Al poco de comenzar el asedio, las tropas de Chagadai y Ogodei debieron hacer frente a una salida de los sitiados pero, mediante una huida fingida, los condujeron a una emboscada donde mataron a más de un millar. La llegada de Jochi, que se había trasladado desde el bajo Syr Darya cruzando el desierto de Kizil Kum, permitió a los mongoles cercar completamente la ciudad. En diez días los prisioneros traídos de otras ciudades consiguieron llenar el foso, lo que permitió a los mongoles asaltar un lienzo de la muralla. El haber obtenido un acceso a la ciudad debería haber provocado la rendición de los defensores, pero estos se negaron a abandonar la lucha y los sorprendidos mongoles se vieron obligados a luchar barrio por barrio y calle por calle. Finalmente recurrieron a incendiar la ciudad, pero ni aún así se rindieron sus defensores. Además, el largo asedio provocó una disputa entre Jochi y su hermano Chagadai, cuando el segundo acusó al primero de no emplearse a fondo para tomar la ciudad, con la intención de limitar las destrucciones, ya que esa zona pasaría a ser suya tras la guerra. Enterado de la pelea, Gengis Kan ordenó que el mando del asedio

Hoy en día, el Gran Kyz Kala es la edificación mejor conservada de la antigua Merv. Se trata de una residencia fortificada construida en el siglo VII d. C., aunque llevaba abandonada cien años cuando Tolui destruyó la ciudad.

recayese en Ogodei, que no había participado en la riña. Finalmente, en abril de 1221 los supervivientes se rindieron e imploraron piedad en vano. Los niños y las mujeres fueron esclavizados mientras que, según Rashid al-Din, los demás habitantes fueron divididos en grupos de veinticuatro y ejecutados.

Tolui, por su parte, dedicó tres meses a arrasar el Jorasán y conquistó sus ciudades más importantes. Tras tomar Maruchak y Sarajs, se dirigió a la antigua capital selyúcida de Merv, donde llegó a finales de febrero de 1221. Tras rechazar los mongoles dos salidas de la guarnición, la ciudad se rindió a cambio de que se respetara la vida de sus habitantes. Pero Tolui no cumplió su promesa y, menos cuatrocientos artesanos enviados a Mongolia, el resto de la población resultó asesinada. La siguiente ciudad en ser atacada fue Nishapur. Esta se había rendido en el verano de 1220 a Jebe y Subetei, pero en noviembre sus habitantes se negaron a abrir sus puertas a Tokuchar. En el consiguiente asedio el general mongol, casado con una hija de Gengis Kan, murió. Así que el ataque de Tolui representaba más una venganza familiar que un acto de conquista. La ciudad fue asaltada en solo tres días y los mongoles no se contentaron con masacrar a toda la población, ante la mirada de la viuda de Tokuchar, sino que mataron incluso a gatos y perros. Nishapur fue arrasada de manera tan concienzuda que en su momento se dijo que se podía arar sin problemas en su antiguo emplazamiento. Tras conquistar Herat, aunque esta vez no hubo matanza a gran escala, Tolui se reunió con su padre. En unos pocos meses había causado un enorme nivel de destrucción a una de las regiones más prósperas del islam.

LA LUCHA CONTRA JALAL AL-DIN

Tras la muerte de su padre, los hijos de Mohamed II se trasladaron a Gurganj pero, después de una disputa con sus hermanos, Jalal al-Din se dirigió al otro extremo del Imperio. Tras pasar por Nishapur y Herat llegó a la ciudad de Gazna, en el actual Afganistán. Allí dispuso de unos meses de tranquilidad mientras Gengis Kan asediaba la ciudad de Talaqan, en el Jorasán, y sus hijos conquistaban las provincias de Jorasmia y el Jorasán. Jalal, convertido en el nuevo gobernante de Jorasmia, aunque no quiso adoptar el título persa de sah sino el islámico de sultán, reclutó un importante pero heterogéneo ejército de sesenta mil hombres formado por levas locales y nómadas qangli y turkmenos. A comienzos de la primavera de 1221 avanzó con su ejército hacia el norte y aniquiló un pequeño destacamento mongol que asediaba un castillo en las cercanías de la actual Kandahar. Inmediatamente, Gengis Kan envió un ejército de unos cuarenta mil guerreros dirigido por el general Shigi-qutuqu, el posible autor de la *Historia secreta de los mongoles de los mongoles*, para interceptarlo. Los dos adversarios se enfrentaron en las cercanías de la ciudad de Parwan y, tras una encarnizada batalla que duró dos días, los mongoles fueron derrotados.

Al tener noticia de este revés, la derrota más grave que sufrieron sus tropas en toda la guerra, Gengis Kan marchó en dirección a Parwan. Por el camino su nieto preferido Moctuken, hijo de Chagadai, murió en el ataque a la ciudad de Bamiyan y, como represalia, tras conquistarla los mongoles mataron a todos los seres vivos, incluidos de nuevo gatos y perros, que la habitaban. Cuando llegó finalmente a Parwan se encontró con que Jalal al-Din ya no estaba allí, debido a que su victorioso ejército se había desintegrado a raíz de las disputas sobre cómo repartir el

Actualmente es imposible calibrar el número de muertos provocados por la sangrienta conquista mongola del Imperio jorasmio, ya que las fuentes históricas exageran y la arqueología de la zona no está lo bastante desarrollada como para ofrecer una estimación propia, aunque no hay duda de que la destrucción fue muy grande. Protegidos por una vitrina, los cadáveres de estos dos adultos encontrados en Merv probablemente daten de la destrucción de la ciudad por las tropas de Tolui, en 1221, y nos recuerdan el alto precio humano del estilo mongol de hacer la guerra.

botín capturado en la reciente victoria. Gengis Kan le persiguió atravesando el Hindu Kush y lo alcanzó a orillas del río Indo, en el norte del actual Pakistán. Forzado a presentar batalla, el ejército jorasmio fue derrotado, aunque Jalal al-Din consiguió escapar a uña de caballo a la India. Tras esta batalla finalizaron las acciones militares a gran escala. Las regiones occidentales no habían sido conquistadas y en otras la presencia militar mongola era escasa, pero Jorasmia había dejado de existir como Imperio y ya no representaba una amenaza. La huida de Jalal al-Din, potencialmente peligrosa, no tuvo consecuencias. Este era un gran guerrero pero un mal político, en cierta manera nos recuerda a Jamuka, y no fue capaz de crear la base de poder necesaria para intentar recuperar sus territorios perdidos. Convertido en un aventurero luchó durante varios años contra mongoles, selyúcidas y georgianos hasta morir a manos de un asesino kurdo en 1231. Gengis Kan, por su parte, pasó el invierno al sur del Hindu Kush y, en febrero de 1222, comenzó un largo viaje de regreso a Mongolia. Parece ser que barajó la posibilidad de atravesar la India y el Tíbet para llegar a China y caer sobre la retaguardia de los yurchen, pero finalmente las dificultades de semejante viaje y las noticias acerca de problemas con el reino vasallo de Xi Xia le convencieron de regresar, eso sí lentamente, por el mismo camino por el que había venido. No fue hasta enero de 1223 que volvió a cruzar el Syr Darya abandonando los antiguos territorios de Mohamed II. Una vez acabada la guerra, los mongoles abandonaron la mayoría de los territorios conquistados y se limitaron a anexionar a su territorio las provincias de Mawarannar y Jorasmia.

EL EMPERADOR Y EL MONJE

En el año 1219 Gengis Kan, que debía estar cerca de cumplir sesenta años, controlaba un inmenso Imperio que abarcaba el territorio comprendido entre Manchuria y el río Syr Darya, y los bosques subárticos y el río Amarillo. Su poder no tenía rival, gracias a los interminables botines había amasado una fabulosa fortuna, las hijas y viudas de numerosos reyes y emperadores le servían como esposas y concubinas, y numerosos gobernantes asiáticos se habían convertido en sus vasallos o le habían pedido protección. El conquistador mongol solo podía desear una cosa más, disfrutar de su éxito para siempre. Informado de la existencia de un monje taoísta chino, llamado Changchun, del cual se rumoreaba que conocía un medicamento que daba la inmortalidad, Gengis Kan ordenó que este se presentara ante él. Pese a que ya tenía setenta y un años, el monje no pudo negarse y en marzo de 1221 abandonó su monasterio en la actual provincia de Shandong para reunirse con el conquistador mongol. No consiguió alcanzarlo hasta mayo de 1222 en su campamento al sur del Hindu Kush. Durante la entrevista que ambos mantuvieron, Changchun le confesó que, en contra de lo que le hubieran explicado, conocía remedios para proteger la vida pero no para burlar la muerte. Pese a la decepción, Gengis Kan trató al anciano monje con gran respeto mientras estuvo en su corte y cuando le dio permiso para regresar a China le concedió privilegios para los monjes taoístas.

7

La postrera campaña del jan: los años finales de Gengis Kan

El regreso de Gengis Kan a Mongolia continuó el ritmo pausado que había caracterizado su vuelta desde la derrota de Jalal al-Din, acampando durante meses para descansar o disfrutar de la caza. Tras reunirse en la estepa kazaja con Subetei y sus hombres, que regresaban de su epopeya, a mediados de 1223, se dirigió hacia el este. El verano de 1224 lo pasó en las fuentes del río Irtysh y en la primavera de 1225, tras casi siete años de ausencia, volvió, por última vez, a Mongolia. Desde allí se dirigió al reino vasallo de Xi Xia, donde había estallado una rebelión. Aunque el anciano jan no lo sabía, comenzaba su última campaña militar.

LA DESTRUCCIÓN DEL REINO DE XI XIA

Los orígenes de la segunda y última campaña de Gengis Kan contra los tangut no están totalmente claros. Algunas fuentes hablan de la negativa de estos a proporcionar tropas auxiliares para la campaña contra el sah de Jorasmia en 1218 como el *causus belli*, pero en cualquier caso la ruptura se produjo a principios de 1223 cuando, tras varios reveses sufridos por las tropas mongolas que seguían combatiendo a los Jin en China, los tangut abandonaron al general mongol Mujali y regresaron a Xi Xia. En marzo del año siguiente su rey, Li Dewang, incitó a varios grupos nómadas a realizar razias contra la propia Mongolia, y el enfrentamiento alcanzó el punto de no retorno en noviembre de 1225, cuando se supo que los tangut y los yurchen habían firmado una alianza contra los mongoles. Al enterarse, Gengis Kan invadió al antiguo reino vasallo, al frente de un ejército de cien mil hombres. En esta ocasión solo le acompañaban sus hijos Ogodei y Tolui, ya que Chagadai se había quedado ocupándose de los asuntos en Mongolia, mientras que, tras la guerra con los jorasmios, Jochi había permanecido en los pastos al norte del mar de Aral, donde moriría en febrero de 1227 entre rumores de desavenencias con su padre. El ejército pasó el invierno de 1225 a 1226 en el curso superior del río Ongin Gol. Durante esos meses, Gengis Kan, que debía rondar los sesenta y pocos años de edad, sufrió una caída del caballo que le provocó unas fiebres.

Esta última campaña no se caracterizó por los fulminantes y profundos avances de la caballería mongola en territorio enemigo, sino por una estrategia meticulosa y sistemática de conquista de todos los territorios del reino de Xi Xia. En marzo de 1226 los mongoles volvieron a ponerse en marcha y dedicaron la primavera y el verano a apoderarse de las regiones occidentales de Xi Xia, incluyendo el corredor del Gansu. En agosto, el emperador tangut murió y fue sustituido por su hermano menor Li Xien, que decidió continuar la lucha. Entre septiembre y diciembre, Gengis Kan asedió la ciudad de Yingli, a orillas del río Amarillo, y derrotó a un gran ejército tangut. A continuación, se apoderó de Keimen y de la fortaleza de Wulahai y, en enero de 1227, puso sitio a la capital del reino, Zhongxing, tras derrotar ante sus murallas a un segundo ejército enemigo. Durante los meses siguientes, mientras se desarrollaba el asedio, los mongoles enviaron destacamentos para someter las zonas del reino que aún resistían. En julio, ante lo desesperado de su situación, Li Xien ofreció la capitulación pero pidió un plazo, finalmente concedido, de un mes con el objeto de preparar presentes para los conquistadores.

LA MUERTE DE GENGIS KAN

Todas las fuentes afirman que Gengis Kan murió en el mes de agosto de 1227 aunque, dejando de lado este dato, no coinciden prácticamente en nada sobre su óbito y están además repletas de elementos fantasiosos. Según Rashid al-Din y el *Yuanshi*, el conquistador mongol falleció por una enfermedad, mientras que del vago relato de la *Historia secreta de los mongoles* podría deducirse que su muerte estuvo relacionada con las lesiones que le produjo una caída de caballo en el transcurso de una cacería que habría tenido lugar unos meses antes. El resto de fuentes dan explicaciones inverosímiles, como que murió por la maldición del rey tangut, que fue asesinado por la viuda de este mientras mantenían relaciones sexuales o que fue abatido por un rayo. Entre los historiadores modernos la opinión más común es que la muerte de Gengis Kan debió de ser un tema tabú entre los mongoles, lo que explicaría la parquedad y la inconsistencia de las versiones sobre su fallecimiento. Poco antes de morir, el emperador mongol dio sus últimas órdenes, y en ellas nombraba a su hijo Ogodei como heredero al trono, ordenaba la muerte de Li Xien y la de toda la población de Zhongxing y aconsejaba sobre cómo continuar la guerra contra los Jin en el norte de China.

Este retrato chino sobre seda es un siglo posterior a
Gengis Kan, por lo que no debe tener ningún parecido con el
aspecto real del emperador de los mongoles. Lo representa
como un venerable anciano en la tradición
del retrato imperial chino.

Su cadáver fue transportado en carro de vuelta a la estepa y las informaciones que afirman que, siguiendo órdenes del propio Gengis Kan, se dio muerte a todos aquellos que se cruzaron con la comitiva fúnebre, son con toda probabilidad falsas. También son difíciles de creer las fuentes que afirman que la zona alrededor de su tumba se declaró prohibida y que mil guerreros permanecieron vigilándola. No hay, tampoco, unanimidad sobre el lugar donde fue enterrado su cuerpo, de hecho el historiador Paul Rachtnevsky ha propuesto recientemente que con el calor del verano debió ser imposible trasladar el cadáver de Gengis Kan a Mongolia y que fue enterrado en Xi Xia, llevando únicamente unas cuantas reliquias a su tumba «oficial». La localización de esta, según las fuentes, podría ser tanto la estepa del Ordos como el monte Burjan Jaldun en Mongolia. En los últimos años varias expediciones arqueológicas han intentado localizar la tumba de Gengis Kan, de maneras tan espectaculares como infructuosas.

CARÁCTER Y VALORACIÓN DE LA FIGURA DEL CONQUISTADOR MONGOL

Hacerse una idea del carácter de una persona que vivió hace ochocientos años, de quien no se conservan documentos privados ni testimonios extensos de gente que la conociera directamente, no es una tarea fácil. Si además tenemos en cuenta que la gran mayoría de fuentes históricas que hablan de Gengis Kan fueron escritas por personas al servicio de los descendientes del emperador mongol o por sus enemigos, las dificultades aumentan. A menudo es complicado saber dónde acaban la adulación cortesana o la difamación y comienza la persona. Pero pese a todas las dificultades que presentan las fuentes, al final acaba dibujándose un retrato del conquistador mongol. Tenemos solo un par de descripciones sobre su aspecto físico y, aunque escuetas, las dos coinciden en su elevada estatura y complexión robusta. La principal característica del carácter del conquistador mongol era una férrea voluntad de poder, ante la que subordinaba todas las otras cosas. En el cuarto capítulo comentamos el magnetismo que la personalidad de Gengis Kan ejercía sobre quienes le rodeaban y que tanto le ayudó en sus primeros años. Las fuentes insisten en su generosidad, cualidad indispensable para un jefe nómada de éxito y nos cuentan cómo siempre recompensó a quienes le ayudaron o cómo se hizo cargo de los hijos de seguidores que habían muerto sirviéndole. Otro rasgo sobresaliente de su personalidad era su gran capacidad de autocontrol y de hecho se dice de Gengis Kan que nunca permitió que le provocaran. Una de sus habilidades más útiles fue la de saber juzgar a las personas y escoger a los mejores subordinados. De esta manera, se rodeó de un círculo de seguidores extremadamente competentes como Borchu, Subetei, Mujali, Jebe o Belgutei, por mencionar a unos cuantos. Estos hombres le fueron absolutamente fieles y le salvaron la vida en más de una ocasión. Su relación con ellos era muy directa y otra de las virtudes del emperador mongol era la de escuchar a sus consejeros y seguir sus sugerencias cuando era necesario. Entre los aspectos negativos de su carácter podemos reseñar la desconfianza hacia sus propios familiares y una actitud celosa ante cualquier posible menoscabo de sus poderes y privilegios por parte de cualquiera. La venganza fue un poderoso motor en la actuación de Gengis Kan, nunca dejó una ofensa sin vengar, aunque es difícil decir si se trataba de un rasgo propio de su carácter o simplemente refleja la importancia de la misma en las sociedades tribales.

Retrato chino sobre seda de un jinete arquero mongol.
Gracias tanto a las reformas efectuadas por Gengis Kan
como a su eficaz dirección, el ejército mongol se convirtió,
probablemente, en el ejército nómada más eficiente
de la historia.

Gengis Kan ha pasado a la historia, merecidamente, como un gran jefe militar. Aunque prácticamente no tenemos descripciones detalladas de las batallas que dirigió, sí sabemos los resultados: fuera de la estepa no fue derrotado jamás y sus conquistas desafían la imaginación. Una buena parte del éxito de sus campañas radicaba en medidas que se tomaban antes del comienzo de las mismas, como la información sobre el enemigo recogida por espías. Los mongoles de Gengis Kan no se diferenciaban de sus predecesores o contemporáneos nómadas ni en el armamento ni en las tácticas. Es cierto que Gengis Kan introdujo una organización de tipo decimal, con unidades de diez, cien, mil y diez mil guerreros en el ejército, pero otros pueblos anteriores ya la habían empleado. Con toda probabilidad el elemento que explica la superioridad militar de los mongoles sobre otros nómadas fue el férreo sistema de disciplina introducido por el conquistador mongol que, entre otras cosas, prohibía interrumpir la persecución de un enemigo derrotado para apoderarse del botín y contemplaba castigos colectivos para todos los miembros de la unidad del guerrero que había cometido la falta. Un factor importante que también aumentó la efectividad de los ejércitos mongoles fue la meritocracia instaurada por Gengis Kan. Sin ningún aprecio por la nobleza tradicional de la estepa ni por el sistema tribal, el conquistador mongol se sintió libre de escoger a sus comandantes solo por sus habilidades personales. Varios de los generales que conducirían sus ejércitos en China y Jorasmia se le habían unido como simples guerreros veinte o treinta años antes. El resultado fue que tuvo a su disposición un grupo de excelentes subordinados y que la calidad de los oficiales del ejército mongol era considerable.

Las habilidades políticas de Gengis Kan también fueron sobresalientes y le permitieron superar las adversas condiciones en que comenzó su carrera. Su éxito político más grande fue, sin duda alguna, la unificación de los pueblos de pastores nómadas de la estepa por primera vez en cuatrocientos años. Estas habilidades también le ayudaron en sus conquistas, un ejemplo de ello es la ocasión en que aprovechó el descontento contra la política anti-musulmana de Guchulug, durante la conquista del Imperio kara-kitai, o cuando utilizó cartas falsas para sembrar la desconfianza entre el sah de Jorasmia y sus partidarios.

Pero el campo donde tienen más valor las virtudes del gran mongol fue, paradójicamente, en el de la administración. Gengis Kan fue toda su vida una persona analfabeta y no hay pruebas de que hablara otra lengua aparte de su mongol natal, con la excepción quizás, de alguna lengua turca. Pese a no haber recibido ninguna educación, promulgó un código de leyes, la *yasa*, que regulaba la conducta de los nómadas y con el que intentó erradicar de la estepa prácticas que tanto le habían perjudicado en su vida, como el secuestro de mujeres o el robo de animales. Además creó la organización de su vasto y reciente Imperio utilizando consejeros sedentarios, especialmente uigures, kitan, chinos y musulmanes. Pese a que recibió influencias muy diversas, Gengis Kan adoptó el modelo administrativo uigur, su lengua y su alfabeto como oficiales en el Imperio. Continuó con la exitosa política de otros conquistadores anteriores de respetar la administración local de los territorios conquistados pero, para mantener el control a este nivel, se creó la figura del *darugachi*, un funcionario encargado de representar al gobierno central y de recaudar impuestos. Gengis Kan también creó el *yam*, un sistema estatal de correos montados que se extendía por todo el Imperio. Una red de estaciones de posta, situadas aproximadamente a un día de distancia, proporcionaba forraje y caballos frescos a los correos y funcionarios. De esta manera los jinetes podían recorrer unos 40 km diarios de manera pausada y hasta unos fabulosos 500 km en casos de extrema necesidad, lo que contribuía a limitar los problemas creados por la enorme extensión del Imperio.

Este es el lugar adecuado para continuar la reflexión sobre las motivaciones de Gengis Kan que iniciamos en el capítulo cuatro. No existe un consenso total sobre los objetivos del nuevo señor de la estepa al iniciar sus campañas contra sus vecinos sedentarios. La principal cuestión gira en torno a la naturaleza de la ideología imperial mongola. Los sucesores del conquistador mongol consideraban que tenían un mandato divino para gobernar todo el mundo y, por lo tanto, según su punto de vista, las guerras de expansión en realidad eran luchas contra rebeldes, no contra enemigos. También puede afirmarse que emperadores posteriores como Ogodei o Mongke practicaron una política sistemática de conquista de nuevos territorios. Lo que no está claro es que toda esta situación pueda extrapolarse al reinado de Gengis Kan. Por una parte, sí es cierto que el emperador mongol creía ser un escogido del cielo, pero un repaso a sus principales campañas no apoya la idea de que pretendiera conquistar todo el mundo. Sus ataques contra Xi Xia y el Imperio yurchen tuvieron como objetivo original «extraer» de sus vecinos sedentarios los productos de lujo y alimentos que necesitaba desesperadamente para mantener la estructura imperial que acababa de crear en la estepa. En este sentido, es significativo que el primer ataque a Xi Xia, en 1205, que en realidad fue una gigantesca razia para conseguir botín, se produjera unos meses antes del gran *kuriltai* de 1206 que lo escogió emperador. Tras vencer a los tangut de Xi Xia en 1210 se limitó a imponerles vasallaje y, lo más importante,

Estas dos paizas se encuentran actualmente en el
Museo Hermitage de San Petersburgo. La paiza, que
se llevaba colgada del cuello, era un distintivo que
autorizaba a su poseedor a beneficiarse de los servicios del
yam, el sistema de correos creado por Gengis Kan, y,
en cierta manera, simboliza la eficacia administrativa
que alcanzó el estado mongol.

tributos. La guerra comenzada contra los yurchen al siguiente año estuvo motivada por la misma necesidad de obtener productos sedentarios y solo la negativa de la dinastía Jin a acceder al chantaje nómada, al contrario que sus predecesoras Han y Tang, obligó a Gengis Kan a encontrar una alternativa. Puesto que los sedentarios se negaban a aceptar la extorsión, la única opción que le quedaba, descartando por supuesto sentarse a ver cómo se derrumbaba su propio Imperio, era la de conquistar permanentemente el norte de China y obtener directamente todo lo que necesitaba. El gran inconveniente de esta opción, y el motivo por el que los xiong-nu, turk y uigures habían preferido anteriormente el sistema indirecto de la extorsión, era que colocaba sobre los hombros del conquistador nómada la carga de administrar territorios sedentarios con unas necesidades y estilos de vida que ni comprendía, ni apreciaba. La guerra contra el Imperio jorasmio tampoco respalda la teoría de un Gengis Kan empeñado en conquistar el mundo. El conflicto comenzó con los mongoles como víctimas de una agresión y pese a los intentos del emperador mongol de encontrar una salida pacífica, los insultos de Mohamed II no le dejaron otra opción que recurrir a las armas. En cualquier caso, tras ocupar buena parte del Imperio jorasmio, al acabar la guerra los mongoles abandonaron muchos territorios y se anexionaron solo las provincias de Mawarannar y Jorasmia. Fuere como fuere, todas estas conquistas acabaron por modificar la actitud de Gengis Kan ya que, como acabamos de ver, en su lecho de muerte aconsejó a su sucesor Ogodei sobre cómo continuar la guerra con los Jin, por lo que creía que el Imperio seguiría expandiéndose tras su muerte.

Por último, no sería adecuado acabar esta valoración de Gengis Kan sin afrontar el controvertido asunto de las destrucciones que provocaron sus conquistas. El asunto merece explicarse con un mínimo de detalle, ya que últimamente divergen las opiniones de los investigadores. Para el norte de China tenemos la suerte de poder comparar un censo del Imperio yurchen de 1195, que arrojaba una población de casi cincuenta millones de personas, con otro realizado por los propios mongoles tras completar la guerra en 1235, en el que la población no pasaba de ocho millones y medio de almas. Aun aceptando posibles errores en la realización del censo mongol y que muchas de las personas que no aparecen en el censo de 1235 no muriesen a manos de los mongoles, sino que simplemente huyesen a la China de la dinastía Song o falleciesen por epidemias, el resultado de la actividad durante más de veinte años de los ejércitos mongoles en la zona es un brutal descenso de población.

En el caso del Imperio jorasmio la situación no está tan clara, ya que no contamos con censos. Si creemos a los historiadores persas medievales, allí las destrucciones fueron incluso peores que en China, lo que podría ser perfectamente cierto. Pero, por otra parte, es bastante probable que muchas de las cifras de muertos que ofrecen los historiadores persas estén muy infladas. La arqueología, por su parte, podría proporcionar datos nuevos, y en algunos casos ya ha empezado a hacerlo. En varias de las ciudades donde según las fuentes se asesinó a toda la población, como en Merv, se han documentado destrucciones, pero también que alguno de sus barrios estuvo habitado desde el comienzo de la ocupación mongola. Lo que no está tan claro es cómo interpretar estos datos, ya que tanto podrían significar que los mongoles no masacraron a todos sus habitantes, como que sí lo hicieron, pero parte de la ciudad fue reocupada rápidamente por refugiados procedentes del campo. En cualquier caso, está claro que los mongoles utilizaron de manera sistemática una estrategia premeditada de terrorismo que debió producir un nivel de destrucción similar, si no superior, al sufrido en el norte de China. Sea como sea, a la hora de juzgar la responsabilidad personal de Gengis Kan en estas muertes hay que recordar que las personas deben ser analizadas en el contexto histórico y cultural en el que vivieron. Juzgar a un nómada del siglo XIII según nuestros parámetros humanistas e ilustrados del siglo XXI es un auténtico disparate. En su época, masacrar a todos los habitantes de una ciudad conquistada incluidos mujeres, niños y ancianos no era algo inusual, aunque nadie lo había hecho a la escala que lo practicaron los mongoles. Que esto se deba simplemente a que la escala de sus conquistas fue mucho mayor o que, realmente, los mongoles practicaron un estilo de guerra particularmente feroz, aún está abierto a debate, aunque el autor se decanta, de manera moderada, por la segunda opción. Lo que sí está claro es que Gengis Kan no fue un sádico y, pese a utilizar los asesinatos en masa, prohibió las torturas, dándose muerte a las víctimas de una manera rápida. Para el conquistador mongol las matanzas no eran un objetivo en sí mismas ni un placer, eran simplemente un medio para alcanzar determinados objetivos.

La importancia histórica de Gengis Kan

Durante buena parte del siglo XIX dominó en la historiografía occidental la corriente positivista, que consideraba responsables del progreso histórico a una minoría de «grandes personajes», como reyes, emperadores, presidentes…, y para la cual la masa de la población era una mera comparsa de los dirigentes. Pero a mediados de ese siglo la escuela marxista, con Karl Marx y Friederich Engels como principales representantes, criticó de manera convincente los postulados positivistas y los acusó de defender los intereses de las clases privilegiadas. En su lugar, los marxistas consideraban los factores económicos y sociales como la clave de la evolución histórica y prefirieron centrar su estudio en conceptos como la propiedad de los medios de producción, las relaciones de explotación y los conflictos de clase. El resultado fue el abandono del positivismo por parte de todos los historiadores profesionales y la aceptación de la importancia de los enfoques socio-económicos en el análisis histórico, pero también una marginación de la historia política. En las últimas décadas se han levantado voces defendiendo una postura matizada, que considera los factores socioeconómicos el «motor de la historia» pero que acepta la posibilidad de que ciertos individuos colaboren en alguna medida al cambio histórico.

La vida de Gengis Kan presenta una oportunidad inmejorable para reflexionar sobre estas cuestiones. Desde la ortodoxia marxista se podría decir, acertadamente, que antes incluso del nacimiento de Temujin ya se había iniciado el proceso de concentración de los grupos de pastores nómadas de la estepa mongola, como nos recuerdan la formación de grandes confederaciones tribales como las de los kereyit o naiman. Por lo que, aunque Temujin hubiera muerto en alguna de las batallas en las que participó, algún otro jefe hubiera terminado por unificar a todos los nómadas en una gran confederación imperial. Pero ese otro líder, que por fuerza hubiera debido ser un buen político y militar, no tendría necesariamente que tener la capacidad organizativa de Gengis Kan, que fue la que dio estabilidad al Imperio. Así que, continuando con nuestra especulación, nada garantiza que el Imperio creado por ese líder alternativo no se hubiera desintegrado con rapidez tras su muerte, como sucedió con el Imperio huno de Atila en el siglo v d. C. Tampoco es probable que este hipotético líder hubiese tenido el mismo éxito como conquistador que Gengis Kan, ya que, aunque la negativa de los Jin a aceptar el establecimiento de un

Gengis Kan. La película

La figura de Gengis Kan ha sido llevada a la gran pantalla en varias ocasiones, la última en 2007 por medio de una coproducción ruso-mongola-kazaja-germana dirigida por Sergei Bodrov, que es la primera entrega de una trilogía sobre la vida del conquistador mongol. A menudo, la etiqueta de cine histórico se aplica a películas que a duras penas la merecen ya que, aunque su argumento esté situado en el pasado, sacrifican la veracidad histórica en aras de la espectacularidad y repiten tópicos infundados simplemente porque el espectador espera verlos. Dentro de este pobre panorama el *film* de Bodrov, dedicado a los primeros años de Gengis Kan, presenta unos resultados bastante flojos. El director modifica algunos hechos de la vida del conquistador mongol (como el episodio de la muerte de Yesugei) e inventa otros (como el cautiverio en Xi Xia). No explica de manera adecuada el estilo de vida de los pastores nómadas, ni las relaciones de patronazgo entre jefes y seguidores, ni la dinámica de los enfrentamientos entre grupos nómadas. Pero, sin duda, el aspecto peor retratado en el *film* es el de la guerra nómada. En la película aparecen tres batallas y en dos de ellas los guerreros desmontan para combatir a pie con espadas y lanzas. En la tercera sí luchan a caballo, pero en ella podemos ver una especie de jinetes kamikaze absolutamente surrealistas. Contemplando esta película nadie se explicaría por qué los mongoles se ganaron la merecida fama de ser los mejores jinetes arqueros de su época. En resumen, desde el punto de vista histórico, una película perfectamente olvidable.

nuevo sistema de extorsión también le hubiera obligado a emprender la conquista del norte de China, no es fácil que hubiese reunido en su persona la combinación de habilidades políticas, militares y administrativas que hicieron grande al conquistador mongol y también es inverosímil que hubiese introducido las reformas militares que tan importantes fueron en las victorias mongolas. Por lo tanto, aunque no puede considerarse a Gengis Kan como el único factor, ni siquiera el factor más importante, que explica la espectacular expansión mongola, no puede despreciarse su participación en los acontecimientos históricos. Por decirlo llanamente: es probable que la historia del continente euroasiático durante el siglo XIII hubiese sido diferente si Gengis Kan no hubiese existido.

8

Expansión, fragmentación y desaparición: el Imperio tras Gengis Kan

La elección de Ogodei como nuevo gobernante del Imperio mongol se produjo en un *kuriltai* celebrado en Mongolia en 1229. El nuevo emperador adoptó el título de *qaghan* o, lo que es lo mismo, Gran Jan. Los pueblos de pastores nómadas de las estepas euroasiáticas, y los mongoles no fueron una excepción, combinaban simultáneamente varios mecanismos de sucesión al trono. Este podía pasar al hijo mayor del difunto jan, o al más pequeño, o a cada uno de los hermanos del jan antes de pasar a la siguiente generación. En la práctica, esto servía para justificar la legitimidad de prácticamente cualquier candidato, siempre que este procediese del clan real. El sistema permitía escoger a un candidato competente a costa de correr el riesgo de provocar una guerra civil entre las diversas facciones. En el caso de Ogodei, el inmenso prestigio de su padre, que lo había nombrado heredero, aseguró una sucesión tranquila. Sería la única en toda la historia del Imperio. Por su parte, los otros hijos de Gengis Kan recibieron territorios en herencia: Chagadai el valle del Ili, Tolui Mongolia, los hijos de Jochi las

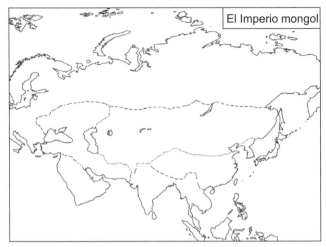

El mapa representa el Imperio mongol en su momento de máxima extensión. La línea punteada marca las dimensiones del mismo en la época de la muerte de Gengis Kan.

estepas occidentales, mientras que el propio Ogodei recibió tierras en el Altai y el curso superior del Yenisei.

LOS GRANDES JANES

Ogodei era el tercer hijo de Gengis Kan y Borte, su mujer principal. De carácter afable y generoso, probablemente fue escogido por su padre al tratarse del único hermano que resultaba aceptable como heredero para sus otros tres hijos. Durante su reinado, se llevó a cabo la consolidación de la administración que había creado su padre y la continuación de las guerras de conquista. Su primer objetivo fue completar la destrucción del Imperio yurchen, lo que consiguió entre 1230 y 1234. Paralelamente, otro ejército mongol ocupó el

Jorasán, expulsó a Jalal al-Din, que intentaba reconstruir el Imperio jorasmio, y obtuvo la sumisión de
Armenia, que se convirtió en un estado satélite. En
1234 Ogodei convocó un *kuriltai* en el que se fijaron
dos nuevos objetivos: Corea y las estepas europeas. La
invasión de Corea, donde de hecho los mongoles
habían intervenido de manera intermitente desde 1216,
fue una operación secundaria, pero el ataque contra
occidente se organizó como una empresa colectiva de
todas las ramas de la familia imperial. Participaron
varios príncipes gengiskánidas pero no el propio Gran
Jan que, a partir de ese momento, dejó de tomar parte
activa en las expediciones para poder dedicarse a su
principal afición, el consumo inmoderado de bebidas
alcohólicas. Entre 1237 y 1240 un enorme ejército
mongol, puede que de unos ciento treinta mil hombres,
conquistó el reino de los búlgaros de Volga, los diversos grupos de nómadas kipchak de las estepas europeas
y los principados rus. Al año siguiente, los mongoles
se presentaron en Europa oriental y, mientras un ejército penetraba en Polonia, otro lo hacía en Hungría,
derrotando a sus adversarios en las batallas de Liegnitz
y Mohi. Un año más tarde, la muerte de Ogodei probablemente impidió un ataque mongol a Europa central y
durante cuatro años la regencia del Imperio fue ejercida por Toregene, la viuda del difunto Gran Jan.

Durante este periodo, los gobernadores locales,
especialmente Batu, el hijo del difunto Jochi, aprovecharon que Toregene estaba ocupada en intrigas pala-
ciegas con el objetivo de conseguir la elección como
Gran Jan de su hijo Guyuk, para aumentar su autonomía. El reinado de Guyuk fue muy breve y su prematura muerte en 1248, mientras se dirigía a enfrentarse
con Batu, salvó al Imperio de la guerra civil. Una
nueva regencia, esta vez ejercida por Oghul Qaimish,
la viuda de Guyuk, dio paso en 1251 a la elección de
Mongke, el hijo mayor de Tolui. Mongke, que debía el

Tártaros: los jinetes del infierno

La invasión de Rusia puso en contacto directo a la cristiandad occidental con el Imperio mongol. Curiosamente, los europeos no utilizaron el término *mongol* para referirse a este nuevo pueblo, sino que los llamaron *tártaros*. La palabra deriva del nombre *tatar* y de su parecido con el *tartarus*, una especie de 'infierno' de la mitología grecorromana. La relación es evidente, para los occidentales estos, a sus ojos, salvajes y crueles jinetes solo podían haber salido del mismo infierno. Lo que no está tan claro es por qué calificaron de *tatar* a los mongoles. Como vimos con anterioridad, los tatar eran una confederación tribal que ocupaba parte de Mongolia oriental, que tenía una profunda rivalidad con los mongoles y a los que Gengis Kan había exterminado, al menos en parte. Se han propuesto varias explicaciones, como que serían tatar supervivientes de la destrucción de su pueblo, e integrados en el ejército mongol, los que habrían transmitido el nombre a los europeos, o que *tatar* podría ser un término utilizado por los autores musulmanes del momento para calificar a todos los habitantes de las estepas europeas; pero ninguna es completamente satisfactoria.

trono, al menos en parte, al apoyo de Batu, debió hacer frente a un complot para derrocarle. Su reinado estuvo marcado por su comedido carácter y por sus reformas para restaurar el poder central y acabar con su endeudamiento. Volvió a reactivar las guerras de conquista, casi paralizadas desde la muerte de Ogodei, y mientras dirigía en persona la guerra contra los Song en el sur de China, envió a su hermano Hulagu a conquistar Oriente Próximo. Hulagu comenzó su campaña en

1256 atacando a los nizaríes, una secta perteneciente a la corriente ismaelita del shiísmo, que aterrorizaba la región desde hacía un siglo con sus asesinos drogados con hachís. Tras capturar sus castillos de montaña, en 1258 se dirigió contra el califa de Bagdag, el teórico dirigente del islam suní, pero que en la práctica solo controlaba parte del actual Irak. La alegría generalizada de los musulmanes, ante la destrucción de los odiados ismailíes, se trocó en indignación al ejecutar Hulagu al califa de Bagdad, Al-Mustasim. A continuación invadió Siria y cuando, en 1260, se proponía atacar al Egipto de los mamelucos, los peculiares soldados esclavos islámicos, las noticias de la muerte de Mongke le hicieron abortar la campaña.

La cuarta sucesión al trono mongol provocó la primera guerra civil entre los descendientes de Gengis Kan. Desde 1260 hasta 1264 dos de los hermanos del difunto Mongke, Ariq-Boke y Kublai lucharon entre sí tras proclamarse los dos Gran Jan. En la guerra no se enfrentaron solo dos hermanos, sino también dos formas diferentes de entender el futuro del Imperio. Ariq-Boke era lo que en la actualidad llamaríamos un tradicionalista, partidario de mantener inalterado el estilo de vida nómada. Mientras que Kublai, seducido por la cultura china, quería incorporar aspectos de su civilización. Kublai salió vencedor de la contienda, pero debió pagar un alto precio al tener que dividir el Imperio para ganarse el apoyo o la neutralidad de otros príncipes gengiskánidas. Su hermano Hulagu recibió los territorios que acababa de conquistar en Irán, que constituirían el *Iljanato*. El príncipe Alghu, descendiente de Chagadai, los territorios entre el río Syr Darya y el Altai: el janato chagadai. El propio Kublai se reservó China y Mongolia, mientras que Berke, hermano de Batu, gobernó las estepas europeas del janato kipchak.

Ilustración de la batalla de Liegnitz en un manuscrito medieval. En ella los mongoles destruyeron un ejército conjunto formado por polacos, alemanes y caballeros teutónicos dirigido por el duque Enrique II de Silesia.

LOS JANATOS SUCESORES

Kublai trasladó la capital de su Imperio de Karakorum, en la estepa, a Janbalik, en la actual Pekín, en China. La nueva ciudad se erigió en el emplazamiento de la antigua capital central jin, Zongdu. En 1271 adoptó el nombre dinástico chino de Yuan, convirtiéndose además de en jan mongol en emperador chino, algo que a su abuelo Gengis Kan ni se le había pasado por la cabeza. Kublai finalizó la destrucción de los Song y la conquista del sur de China en 1284. Pese a presidir la desmembración del Imperio mongol, Kublai continuó las guerras expansivas enviando varias expediciones al Sureste asiático, con resultados diversos, y dos expediciones fracasadas a Japón. También reformó la administración mongola en China, racionalizándola. La historia de la dinastía Yuan tras su muerte en 1294 está plagada de conspiraciones, asesinatos y luchas internas, lo que unido al hecho de que ninguno de los sucesores de Kublai alcanzara su talla llevó a que el poder efectivo acabara en manos de ministros y generales. En 1344 el río Amarillo cambió su curso, con los acostumbrados y catastróficos efectos para la agricultura del norte de China, lo que provocó un aumento de la inestabilidad social. Siete años después, se produjo la rebelión campesina de los Turbantes Rojos que tenía como objetivo expulsar a los mongoles de China y, en 1368, un campesino rebelde, llamado Zhu Yuanzhang, ocupó Janbalik, obligó a huir al último emperador mongol y fundó la dinastía Ming.

El *Iljanato*, que significa 'Janato subordinado', se creó gracias a los territorios obtenidos en la campaña de conquista dirigida por Hulagu pero, irónicamente una vez creado, su expansión se frenó en seco. Tradicionalmente, se ha explicado el brusco freno a la expansión mongola en Oriente Próximo por la batalla

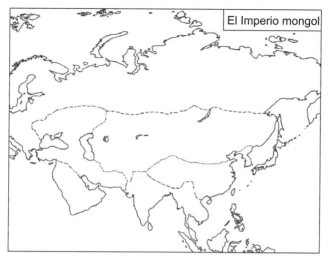

El Imperio mongol

La guerra civil de 1260 significó la disolución del Imperio mongol y su fragmentación en una serie de janatos sucesores. La división del Imperio y, sobre todo, las luchas fratricidas entre los janatos resultantes significaron el fin de la expansión mongola.

de Ayn Yalut, que se libró en 1260 en el sur de Palestina y que significó una rotunda victoria para los mamelucos de Egipto. En realidad, Ayn Yalut fue una derrota menor ya que el ejército mongol solo contaba con unos diez mil efectivos y no estaba dirigido por Hulagu, que había abandonado la zona para participar en la elección del nuevo Gran Jan, tras la muerte de Mongke. Es cierto que forzó a los mongoles a evacuar la recién conquistada Siria pero, tras el regreso de Hulagu, la ofensiva contra los mamelucos hubiese continuado.

El verdadero motivo que impidió a Hulagu continuar con sus conquistas fue su enfrentamiento con el jan mongol del janato kipchak, Berke. Los dos lucharon por el control de los pastos de Azerbaiyán y de las rutas caravaneras que los atravesaban. Peor aún Berke, que se había convertido al islam, buscó una alianza con los mamelucos egipcios en contra de Hulagu. La causa del fin de la expansión mongola en Oriente Próximo fue el cambio en el juego de equilibrios estratégicos en la zona y, en definitiva, la fragmentación del Imperio mongol que lo había permitido, y no la derrota de Ayn Yalut. Rodeado de estados hostiles, pronto entraría en guerra con el janato chagadai, el *Iljanato* se vio obligado a adoptar una postura defensiva y a buscar, infructuosamente, una alianza con los reinos cristianos contra el poder del islam. Los sucesores de Hulagu, con la excepción de Ghazan (1271-1304), el *iljan* reformador que se convirtió al islam y trató de corregir los excesos del gobierno mongol en Persia, no fueron unos grandes gobernantes. En 1335, al morir sin herederos el último *iljan*, Abú Said, ninguna de las facciones que lucharon por el trono fue capaz de imponerse y el *Iljanato* se disolvió.

El janato kipchak, también conocido como janato de la Horda de Oro, tuvo su origen en los territorios concedidos en herencia al hijo de Jochi, Batu. Este se convirtió en una figura de primera fila dentro del Imperio, dirigió el ataque a Rusia y Europa y tuvo un papel determinante en la elección de Mongke como Gran Jan. Aunque Batu actuó *de facto* como un jan cuasi independiente, siempre mantuvo una fidelidad nominal al Gran Jan reinante. Fue durante el reinado de su hermano Berke, en el contexto de la guerra civil entre Kublai y Ariq-Boke, cuando se oficializó la independencia del janato. El nombre de este refleja su composición étnica, en la que una minoría de mongoles fue rápidamente absorbida por una mayoría de kipchak, como evidencia la sustitución en las monedas del janato de la lengua mongola por la turca, a partir de una fecha tan temprana como 1280. El janato mantuvo su dominio sobre los principados rus, pero desde mediados del siglo XIV lo hizo cada vez con más dificultad, aunque recuperó, brevemente, parte de su antiguo poder durante el reinado del jan Tojtamish (1376-1396). A lo largo del siglo XV su decadencia fue inexorable y entre 1438 y 1441 se dividió en los janatos de Kazán, de la Gran Horda, de Astraján y de Crimea que, en la siguiente centuria, comenzaron a caer bajo el control del expansionista estado moscovita. El zar Iván el Terrible conquistó el janato de Kazán en 1502 y el de Astraján dos años más tarde. El de Crimea no fue conquistado por los rusos hasta 1783, durante el reinado de Catalina la Grande, pero eso fue porque desde finales del siglo XV los janes de Crimea se habían convertido en vasallos de los sultanes otomanos y gozaban de su protección.

Por su parte, el janato chagadai tuvo su origen en los territorios concedidos en herencia al tercer hijo de Gengis Kan, que dio nombre al janato. Alghu, que comenzó apoyando a Ariq-Boke en la guerra civil de 1260, pero que finalmente se pasó al bando de Kublai, fue el primer jan independiente. A los pastos en el *Ili*, el 'territorio nómada', el nuevo janato sumó la zona sedentaria de Mawarannar, con lo que su extensión se correspondía bastante con la del antiguo Imperio karakitai. La historia del nuevo estado fue tan convulsa como la de los otros janatos mongoles, con los que a menudo estuvo en guerra. En el último tercio del siglo XIII cayó bajo la dominación de Kaidu, otro príncipe mongol chagadaida que luchó casi cuarenta años contra Kublai y que creó un efímero Imperio, tras cuya disolución en 1301 el janato chagadai recuperó su independencia. En 1334 el janato se dividió en dos, por una parte, la zona sedentaria de Mawarannar y, por la otra, las estepas del Ili y el Issyk-kul, conocidas a partir de ese momento como el Mogholistán. El janato fue reunificado quince años más tarde por el jan

Retrato de Hulagu, el primer *iljan*. Hulagu fue un gran jefe militar, pero las divisiones internas del mundo mongol le impidieron extender sus conquistas al Egipto mameluco.

Tugluq, pero la creación durante el último tercio del siglo XIV de un nuevo Imperio por Timur i-Lenk, más conocido como Tamerlán, que tendría su centro en Mawarannar, dividió definitivamente los territorios originales del janato. Los janes chagadaidas continuaron reinando en Mogholistán hasta ser absorbidos por la China manchú en el siglo XVIII.

El destino de los diferentes janatos sucesores vino determinado por muchos factores, como el diferente nivel de integración con las poblaciones conquistadas, pero la existencia, o no, de grandes extensiones de pastos que permitieran a los mongoles mantener el estilo de vida nómada fue muy importante. No es casualidad que el *Iljanato*, con pocos pastos y mezclados con las zonas agrícolas, cayese tras solo setenta y cinco años, mientras que los janatos kipchak y chagadai, con extensas partes de la estepa euroasiática, sobrevivieran de una forma u otra hasta el siglo XVIII. El caso de la dinastía Yuan en China es diferente porque, pese a contar con toda la estepa mongola, los mongoles fueron expulsados por una rebelión china de corte nacionalista y xenófobo.

La aportación de Gengis Kan y sus sucesores a la historia es agridulce. Su Imperio puso en contacto, de manera directa o indirecta, a la totalidad del continente euroasiático y permitió el tránsito de mercancías, personas e ideas. El precio a pagar fue un nivel de destrucción y de pérdida de vidas humanas inusualmente alto. Los mongoles también representaron, en cierta manera, el canto de cisne de los pueblos de pastores nómadas. El suyo fue el Imperio nómada más importante de la historia y tras ellos solo Tamerlán fue capaz, brevemente, de crear otro gran Imperio nómada. La imagen de la corte Yuan evacuando Jambalik y refugiándose en la estepa mongola en 1268 era premonitoria. Desde el siglo XVII la mejora de las armas de fuego, y especialmente de una artillería de campaña mínimamente efectiva, acabaron con la superioridad militar de los pastores nómadas. A partir de ese momento, no solo dejaron de ser una amenaza para sus vecinos sedentarios, sino que estos últimos serían los que comenzaran, cambiando las tornas, la conquista y colonización de la estepa.

Bibliografía comentada

La función de la presente bibliografía es servir de guía al lector interesado en profundizar sus conocimientos, tanto sobre los pastores nómadas de la estepa, como sobre los mongoles. Las obras comentadas deberían, a juicio del autor, ser las primeras en consultarse y, en una segunda fase, el lector que así lo quisiese podría continuar con el resto de obras que aparecen en la bibliografía y en las respectivas bibliografías de los libros citados. Un libro de este tipo se basa, por su propia naturaleza, en obras extranjeras, aunque hemos citado las pocas traducciones al castellano que existen de la bibliografía utilizada.

Capítulo 1

La mejor introducción a la vida de los pastores nómadas desde una perspectiva antropológica es sin duda *The nomadic alternative,* de Thomas Barfield, si bien también es importante *Nomads and the outside world,* de Anatoly Khazanov. Para la etnicidad, los excelentes artículos de Walter Pohl y especialmente «Il ruolo dei popoli delle steppe nell'Europa centro-orientale del primo millennio d. C.», son imprescindibles. Las relaciones entre nómadas y sedentarios están cubiertas en el titánico *The perilous frontier: nomadic empires and China*, también del prolífico Barfield. Durante toda la obra hemos seguido su interpretación de estas relaciones, basada en su teoría de los ciclos de poder, ya que nos parece la más acertada. Los lectores interesados en una visión alternativa que da más importancia a la capacidad de reacción de los imperios chinos deberán consultar *Ancient China and its enemies: the rise of nomadic power in East Asian history,* de Nicola Di Cosmo.

CAPÍTULO 2

Para la guerra nómada en general «The inner asian warriors», de Denis Sinor, y *Mounted archers of the steppe 600 BC-AD 1300*, de Antony Karasaulas, son un buen punto de partida. En castellano, la obra colectiva *Técnicas bélicas del mundo oriental 1200-1860* tiene un nivel correcto. Para la guerra mongola *Mongol Warrior 1200-1350,* de Stephen Turnbull puede servir como introducción, mientras que la síntesis más moderna es *The mongol art of war,* de Timothy May. La más reciente valoración de la guerra nómada en el marco general de la historia de la guerra aparece en la monumental *War in human civilization,* de Azar Gat. En castellano, *Historia de la guerra,* de John Keegan, sigue siendo muy interesante.

CAPÍTULOS 3 Y 4

La historia de los imperios nómadas predecesores del mongol está cubierta en los diversos capítulos de *The Cambridge history of early inner Asia* y en *Imperial nomads. A history of central Asia 500-1500,* de Luc Kwanten. El lector que lea francés puede comenzar con las tres obras de Jean Paul Roux y con *Les nomades* de Iaroslav Lebedynsky, esta última tremendamente útil como manual de consulta. En castellano, la única obra dedicada al tema es *El imperio de las estepas*, de René Grousset, todo un clásico que, debido a que fue escrito hace más de sesenta años, se ha quedado desfasado. La biografía más conseguida sobre Gengis Kan es, sin duda, la de Paul Ratchnevsky, que desgraciadamente no ha sido traducida al castellano, al contrario que las dos mejores introducciones al tema de los mongoles: *La conquista mongólica,* de John Saunders, centrada en la historia política, y *Los mongoles,* de David Morgan, que además cubre los aspectos culturales y administrativos. Sobre las dos biografías del conquistador mongol traducidas recientemente al castellano, la de John Man, *Genghis Khan. Vida, muerte y resurrección,* no aporta nada nuevo, excepto las anécdotas de los viajes por Mongolia y otros países de su autor. *Genghis Khan y el inicio del mundo moderno,* de Jack Weatherford es mucho mejor, sobre todo para los primeros años de la vida de Gengis Kan, pero su autor minimiza sistemáticamente los aspectos negativos del periodo mongol y magnifica los positivos.

CAPÍTULO 5

La historia de los imperios que sucedieron a la dinastía Tang y la de las guerras de sus respectivas conquistas por los mongoles están cubiertas en los respectivos capítulos del sexto volumen de *The Cambridge History of China*. Para estos temas es imprescindible asimismo el libro de Desmond Martin, *The rise of Chingis Khan and his conquest of north China*.

Capítulo 6

La síntesis más reciente sobre el Imperio kara-kitai es *The empire of the Qara Khitai in eurasian history*, de Michael Biran. Para la guerra con Mohamed II, pese a tratarse de una obra más que centenaria, ¡se publicó originalmente en 1900!, sigue siendo muy importante *Turkestan down to the mongol invasion,* de Wilhelm Barthold, aunque es necesario combinarla con «Dynastic and political history of the Il-khans», de John Boyle.

Capítulo 7

La última campaña de Gengis Kan queda cubierta en la obra ya citada de Desmond Martin y en *The Hsi Hsia*, de Ruth Dunnel. Todas las biografías y obras generales del periodo contienen valoraciones sobre la figura del emperador mongol.

Capítulo 8

La historia del Imperio mongol tras la desaparición de su fundador puede seguirse en varias obras, incluyendo las ya citadas de Saunders, Morgan, Roux y Kwanten. En castellano, Grousset también la trata en detalle y esa es la parte de su libro que mejor ha resistido el paso del tiempo.

Finalmente, el lector puede interesarse por conocer las fuentes escritas que son la base de la investigación histórica. Afortunadamente existe una traducción al castellano de la *Historia secreta de los mongoles* de gran calidad, a cargo de Laureano Ramírez Bellerín. Realizada directamente desde el chino y con más de tres mil notas a pie de página, es lo más parecido a una edición crítica que tenemos en la lengua de Cervantes.

Bibliografía

BARFIELD, T., *The perilous frontier: nomadic empires and China*. Basil Blackwell. Oxford, 1989.

BARFIELD, T., *The nomadic alternative*. Prentice Hall. London, 1993.

BARTHOLD, W., *Turkestan down to the mongol invasion*. Cambridge University Press. Cambridge, (1900) 2007.

BIRAN, M., *The empire of the Qara Khitai in eurasian history*. Cambridge University Press. Cambridge, (2005) 2008.

BOYLE, J.,(Ed.) *The Cambridge history of Iran, vol. 5. The Saljuq and Mongol periods.* Cambridge University Press. Cambridge, 1968.

BOYLE, J., «Dynastic and political history of the Il-khans», en Boyle, J., 1968.

DE HARTOG, L., *Genghis Khan: Conqueror of the World*. Tauris Parke Paperbacks. London, (1989) 2003.

DESMOND, Martin, H., *The rise of Chingis Khan and his conquest of north China*. The John Hopkins Press. Baltimore, 1950.

DI COSMO, N., *Ancient China and its enemies: the rise of nomadic power in East Asian history*. Cambridge University Press. Cambridge, 2002.

DI COSMO, N., (Ed.) *Warfare in inner asian history (500-1800)*. Brill. Leiden, 2002.

DUNNEL, R., *The Hsi Hsia*, en Twitchett, D.; Fairbank, J., 2006.

FLETCHER, J., *The mongols: ecological and social perspectives*, Harvard Journal of Asiatic Studies 46, 1986.

FRANKE, H., *The peoples of Manchuria: Kitans and Jurchens*, en Sinor, D., 1994.

FRANKE, H., *The Chin dinasty*, en Twitchett, D.; Fairbank, J., 2006.

GAT, A., *War in human civilization*. Oxford University Press. Oxford, (2006) 2008.

GERNET, J., *El mundo chino*. Crítica. Barcelona, (1972) 2005.

GOLDEN, P., *The peoples of the south Russian steppes*, en Sinor, D., 1994.

GOLDEN, P., «War and warfare in the pre-cinggisid western steppes of Eurasia» , en Di Cosmo, N., 2002.

GROUSSET, R., *El imperio de las estepas.* Edaf. Madrid, (1939) 1991.

HASKEW, M.; Jörgensen, C.; MC NAB, C.; NIDEROST, E.; RICE, R., *Técnicas bélicas del mundo oriental 1200-1860.* Libsa. Madrid, (2008) 2009.

HILDINGER, E., *Warriors of the steppe.* Da Capo Press. Cambridge, 1997.

JACKSON, P., *The Mongols and the west.* Pearson Education Limited. Edimburg, 2005.

KARASAULAS, A., *Mounted archers of the steppe 600 BC-AD 1300.* Osprey Publishing. Oxford, 2004.

KEEGAN, J., *Historia de la guerra.* Planeta. Barcelona, (1993) 1995.

KHAZANOV, A., *Nomads and the outside world*, The University of Wisconsin Press. Madison, (1984) 1994.

KWANTEN, L., *Imperial nomads. A history of central Asia 500-1500.* University of Pennsylvania Press. Philadelphia, 1979.

LEBEDYNSKY, I., *Les nomades.* Editions Errance. Paris, 2007.

LORGE, P., *War, politics and society in early modern China.* Routledge. New York, 2005.

MAN, J., *Genghis Khan. Vida, muerte y resurrección*. Oberon. Madrid, 2006.

MAY, T., *The mongol art of war*. Pen & Sword. Barnsley, 2007.

MORGAN, D., *Los mongoles*. Alianza Editorial. Madrid, (1986) 1990.

MOTE, F., *Imperial China 900-1800*. Harvard University Press. London, (1999) 2000.

NICOLLE, D., *Atila y sus hordas nómadas*. Ediciones del Prado. Madrid, (1990) 1995.

POHL, W. «Conceptions of ethnicity in early medieval Studies» , Archaeologia Polona vol. 29. Varsovia, 1991.

POHL, W. «Il ruolo dei popoli delle steppe nell'Europa centro-orientale del primo millennio d. C.», en Pohl, W., 2000.

POHL, W. *Le Origini etniche dell'Europa: barbari e romani tra antichità e Medioevo*. Villani. Roma, 2000.

RAMÍREZ, L., (Trad.). *Historia secreta de los mongoles*. Miraguano Ediciones. Madrid, 2000.

RATCHNEVSKY, P., *Genghis Khan. His life and legacy*. Blackwell Publishing. Oxford, (1984) 1993.

ROUX, J.P., *Histoire des turcs*. Fayard. Paris, (1984) 2000.

Roux, J.P., *Histoire de l'empire mongol*. Fayard. Paris, 1993.

Roux, J.P., *L'Asie central. Histoire et civilisations.* Fayard. Paris, (1997) 2000.

Saunders, J., *La conquista mongólica.* Eudebam. Buenos Aires, (1971) 1973.

Seaman, G.; Marks, D., (Ed.) *Rulers from the steppe.* Ethnographics Press. Los Angeles, 1991.

Sinor, D., «The inner asian warriors», en Sinor, D., 1997.

Sinor, D., (Ed.) *The Cambridge history of early inner Asia.* Cambridge University Press. Cambridge, (1990) 1994.

Sinor, D., «The stablishment and dissolution of the Türk empire», en Sinor, D., 1994.

Sinor, D., *Studies in medieval inner Asia.* Variorum. Aldershot, 1997.

Turnbull, S., *Mongol Warrior 1200-1350.* Osprey Publishing. Oxford, 2003.

Twitchett, D.; Fairbank, J., *The Cambridge history of China, vol 6. Alien regimes and border states, 907-1368.* Cambridge University Press. Cambridge, (1994) 2006.

Twitchett, D.; Tietze, K.P., «The Liao», en Twitchett, D.; Fairbank, J., 2006.

WEATHERFORD, J., *Genghis Khan y el inicio del mundo moderno*. Crítica. Barcelona, (2004) 2006.

YING-SHIH, Y., «The Hsiung-nu», en Sinor, D., 1994.

Otros títulos

BREVE HISTORIA de...
LOS AUSTRIAS
David Alonso García

La apasionante historia del Imperio español bajo
la dinastía de los Austrias. Desde su expansión mundial
hasta su declive con Carlos II.

nowtilus
saber

BREVE HISTORIA DE LOS
AUSTRIAS

La evolución completa de la Monarquía Hispánica desde Carlos V a Carlos II. La historia de la Corte, la vida y la cultura durante la dinastía de los Habsburgo (los Austrias), que dominó un vasto Imperio, el primero a nivel mundial.

En este libro, el autor, haciendo uso de su rigor como historiador pero utilizando un estilo sumamente ágil y entretenido, demuestra por qué los Austrias fueron los protagonistas de un tiempo sin el cual no es posible entender el presente. Así, por ejemplo, solo al revisar este periodo de la historia es posible entender el nacimiento de Holanda y Bélgica o encontrar rezagos de su influencia en lugares tan distantes como Roma, Brujas, las cercanías de Florencia o hasta en Japón. En ese sentido, David Alonso García no solo se decanta por repasar la vida de Carlos V o Felipe IV, sino que se adentra en las propuestas de estudio más novedosas (muy consolidadas en el ámbito académico, pero que no han conseguido trascender al gran público). En consecuencia, la mejor virtud de esta obra es poder presentar al lector, con un discurso ameno, una moderna mirada a la Historia tomando en cuenta aquellas consideraciones solo conocidas por los expertos.

Autor: David Alonso García
ISBN: 978-84-9763-759-6

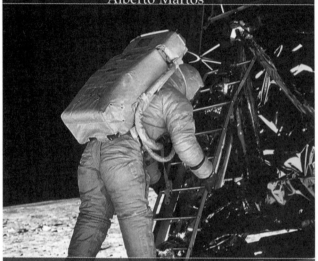

BREVE HISTORIA de la...
LA CARRERA ESPACIAL

Alberto Martos

Del Sputnik al Apollo 11. La apasionante historia del increíble esfuerzo tecnológico que supuso la llegada del hombre a la Luna y de cómo la exploración espacial se transformó en una auténtica carrera secreta de armamento entre Estados Unidos y la Unión Soviética.

nowtilus
saber

BREVE HISTORIA DE LA
CARRERA ESPACIAL

Los entresijos de la carrera espacial. Un viaje en el tiempo para recordar cómo se llegó a pensar que más allá del cielo había un espacio por explorar.

Un análisis de las aportaciones de grandes científicos como Tsiolkovski, Oberth, Goddard, Einstein, y Hohmann que descubrió el camino más sencillo para viajar a otros planetas antes de que se inventase la nave espacial.

Descubre cómo la necesidad de conquistar el espacio se transformó en una carrera armamentística sin precedentes que dio lugar al inicio de una vibrante competición entre Rusia y Estados Unidos con el Sputnik como el pistoletazo de salida.

La Luna, en breve, se convirtió en el objetivo primordial. Y ninguno de los dos países dio la más mínima ventaja, recurriendo a todo tipo de estrategias (espionaje incluido) para llevar la delantera.

En esta Breve Historia, Alberto Martos, como ingeniero que ha trabajado en la Nasa por muchos años y como gran conocedor de los viajes espaciales, ha conseguido detallar de forma muy ágil, pero a la vez documentada, uno de los periodos más fascinantes de la Historia de la humanidad en la que el hombre demostró que podía dejar su huella, para bien o para mal, fuera del planeta que le vio nacer.

Autor: Alberto Martos Rubio
ISBN: 978-84-9763-765-7

BREVE HISTORIA de...

HISPANIA

Jorge Pisa Sánchez

La fascinante historia de Hispania, desde Viriato hasta el esplendor con los emperadores Trajano y Adriano. Los protagonistas, la cultura, la religión y el desarrollo económico y social de una de las provincias más ricas del Imperio romano.

nowtilus
saber

Breve historia de
Hispania

La llegada de Roma a la península ibérica cambió por completo este territorio. Las poblaciones indígenas vieron cómo pronto se estableció una administración nueva que trajo consigo toda una forma de vida diferente. No solo se introdujo el latín como lengua, sino que, además, se construyeron termas, templos, anfiteatros, acueductos, carreteras, puertos marítimos en las distintas ciudades populosas que empezaron a conformar uno de los territorios más ricos y preciados del Imperio.

Deteniéndose con cuidado en los grandes protagonistas de esta historia, el autor presenta de forma amena el desarrollo político, económico y social que alcanzó Hispania en los dos primeros siglos de nuestra era gracias a la instauración de la Pax romana en el Mediterráneo. Asimismo, también profundiza las causas que llevaron a la crisis y a la progresiva desaparición del poder romano en Hispania y en todo el occidente romano; situación que fue provocada y aprovechada, al mismo tiempo, por los pueblos germanos que se agolpaban en las fronteras del Imperio. En este libro, Jorge Pisa Sánchez, como experto en Historia Antigua y Antigüedad Tardía, logra combinar a la perfección rigurosidad y sencillez, consiguiendo con ello acercarnos de una forma muy ágil a la historia de Hispania.

Autor: Jorge Pisa Sánchez
ISBN: 978-84-9763-768-8

BREVE HISTORIA de...

FIDEL CASTRO

Juan Carlos Rivera Quintana

La historia de la Revolución cubana y de su *soldado de las ideas*
Fidel Castro, uno de los líderes latinoamericanos más polémicos,
artífice de un proyecto que ilusionó a toda una generación

nowtilus
saber

Breve Historia de
Fidel Castro

Esta es la historia de Fidel Alejandro Castro Ruz, mundialmente conocido como Fidel Castro. En este libro se detallarán algunos de los aspectos más oscuros de su vida, por ejemplo, cómo su padre hizo fortuna al amparo de la transnacional estadounidense United Fruit Company con el tráfico ilícito de braceros haitianos para plantaciones azucareras.

Juan Carlos Rivera Quintana narra, con la certeza de un testigo directo de los hechos, el desarrollo improvisado y pragmático del proyecto político de Fidel Castro, su repercusión mundial y las consecuencias internas para el pueblo cubano.

Con agilidad y rigor, esta obra no deja de lado ningún hecho importante: el asalto al Cuartel Moncada, el viaje en el Granma y el desembarco en Sierra Maestra, el ascenso al poder, la invasión de Bahía de Cochinos y la victoria de Playa Girón, la crisis de los misiles, la participación en la Guerra de Angola, la visita del Papa, la enfermedad de Fidel, la cesión del poder a su hermano Raúl.

Esta *Breve Historia de Fidel Castro* es un libro clave para entender, de manera sencilla y directa, el porqué de la singularidad y la importancia de uno de los hombres más relevantes de la segunda mitad del siglo XX.

Autor: Juan Carlos Rivera Quintana
ISBN: 978-84-9763-762-6

BREVE HISTORIA del...

HOMO SAPIENS

Fernando Diez Martín

Una detallada reconstrucción a la luz de los conocimientos científicos
más actualizados del origen de nuestra especie, la única del género
Homo que sobrevive hoy en la faz de la Tierra.

nowtilus
saber

BREVE HISTORIA DEL
HOMO SAPIENS

Descubre los hitos más importantes de la búsqueda de nuestros ancestros: desde la primera evidencia reconocida de fósiles humanos descubierta en el año 1856 en el valle alemán de Neander, los descubrimientos del médico holandés Eugène Dubois en la isla de Java, el sonado fraude de Piltdown, el impresionante descubrimiento en Sudáfrica del Niño de Taung, la épica labor de los Leakey en la garganta tanzana de Olduvai, hasta el profundo efecto que produjo la aparición de Lucy.

De manera ágil, Fernando Díez Martín narra cómo aparece el primer género bípedo claramente ancestral de los humanos: los australopitecos y sus parientes los parántropos. Describe, asimismo, la aparición de los Homo rudolfensis y Homo habilis, el origen de la tecnología lítica y la competición con otros predadores por los recursos cárnicos. También consigue indicar con gran sencillez los más importantes avances somáticos, culturales y sociales experimentados por la nueva especie Homo ergaster, considerada la primera forma definitivamente humana hasta llegar a los neandertales, su fascinante y complejo mundo en la Europa glaciar y el enigma de su desaparición; para, finalmente, focalizar la atención en el Homo sapiens.

Autor: Fernando Diez Martín
ISBN: 978-84-9763-774-9